SONHOS
ERÓTICOS

CAROL. L. CUMMINGS

SONHOS ERÓTICOS

Aprenda a desvendar seus sonhos para viver melhor sua sexualidade

TRADUÇÃO DE THELMA GUIMARÃES

Editora Gente

Editora
Rosely M. Boschini

Assistente editorial
Rosângela Barbosa

Produção
Marcelo S. Almeida

Copidesque
Editora Gente

Preparação
Ana Cortazzo

Revisão
Adriana Cristina Bairrada

Capa
Creamcrackers/Aline Haluch

Projeto gráfico
Neide Siqueira

Diagramação
Join Bureau

Título original: *Sex dreams*
Copyright Text © 2003, 2004 by Carol L. Cummings
Publicado em acordo com Fair Winds Press.
Todos os direitos desta edição são reservados à Editora Gente.
Rua Pedro Soares de Almeida, 114
São Paulo, SP – CEP 05029-030
Telefone: (11) 3670-2500
Site: http://www.editoragente.com.br
E-mail: gente@editoragente.com.br

Dados Internacionais de Catalogação na Publicação (CIP)
(Câmara Brasileira do Livro, SP, Brasil)

Cummings, Carol L.
   Sonhos eróticos: aprenda a desvendar seus sonhos para viver melhor sua sexualidade / Carol L. Cummings ; tradução de Thelma Guimarães. – São Paulo : Editora Gente, 2007.

   Título original: Sex dreams
   Bibliografia
   ISBN 978-85-7312-553-5

   1. Sexo nos sonhos 2. Sonhos – Interpretação I. Título.

07-3762   CDD-154.632

Índices para catálogo sistemático:

1. Sonhos eróticos : Psicologia   154.632

Sumário

Introdução 7

1. Como os sonhos funcionam 11
2. Como criar os próprios sonhos 33
3. Interpretando seus sonhos 49
4. Decodificando símbolos sexuais 73
5. Sonhos de homem, sonhos de mulher 95
6. Sonhos com adultério 111
7. Amantes oníricos 123
8. Sonhos eróticos que se realizam 143

Apêndice: Sonhos na tela 155

Bibliografia 159

Introdução

Você está numa varanda à beira-mar, em um jantar íntimo à luz do luar com um primo do seu marido. Vocês estão bebendo vinho e já se sentem um pouco alterados. Enquanto ele vai ao bangalô em busca de outra garrafa, você, num ato impetuoso, tira toda a roupa. Quando volta, ele a encontra apoiada na mesa, arqueada para cima, sedutoramente lambendo o chantilly *de uma taça e delineando o contorno do seio com o* chantilly *da sobremesa destruída que vocês estavam prestes a saborear juntos. Sem hesitar, ele se serve do doce, e os pratos espatifam-se no chão enquanto vocês desmantelam toda a mesa numa transa selvagem.*

Você acorda com um leve formigamento pelo corpo todo e então pensa, com uma aguilhoada de vergonha: "Não posso acreditar que acabo de sonhar isso!". Em geral, você é um tanto conservadora, por isso é constrangedor – e desconcertante – pensar que pode ser tão desinibida no sonho, explorando posições sexuais que nem sabia que existiam, com um homem com quem sabe que não deveria sonhar.

É errado ter sonhos com uma carga erótica tão intensa assim?

Claro que não! Você não é uma pessoa anormal, pervertida ou necessariamente carente de sexo só porque teve sonhos eróticos. Pessoas que não se lembram do que sonharam teriam até inveja da sua capacidade de recordar essas escapadas sexuais tão saborosas! A verdade é que todo mundo sonha, toda noite, e sonhos eróticos são tão normais quanto os de qualquer outro tipo. Eles são mais do que normais: são valiosos. Se você aceitar e compreender os roteiros gráficos ou sensuais que seu subconsciente engendra, poderá aprender muito sobre seu verdadeiro eu.

Quais lições uma pessoa que sonha ter um sexo de arrepiar com um homem proibido pode tirar desse episódio? Talvez seja o jeito que seu eu encontrou para lhe dizer que não precisa ser tão obediente às regras estritas que estabeleceu para si mesma. Ou talvez seja uma mensagem do inconsciente para assumir o risco do qual vem se esquivando há anos. Uma terceira maneira de interpretar é mais direta: faz tempo que não tem um orgasmo e precisou de uma válvula de escape para a energia sexual reprimida.

Todas essas hipóteses e muitas outras podem ser consideradas, e uma análise profunda depende de outras variáveis na vida da pessoa. Mas a beleza da interpretação dos sonhos é justamente esta: ser mais uma arte do que uma ciência. Não há respostas certas ou erradas quando o assunto é interpretar sonhos, além de os elementos serem tão variados e pessoais quanto os indivíduos que os sonham.

O paradoxal dos sonhos eróticos é que muitas vezes os extremamente explícitos não têm nenhuma relação com sexo, enquanto o mais inofensivo dos sonhos pode estar repleto de sinais que ajudarão a pessoa a ter relações sexuais mais gratificantes. Compreender que símbolos aparentemente inocentes podem ter conteúdo sexual e que sonhos eróticos podem ser inteiramente não sexuais é o primeiro passo rumo a uma conscientização sobre os sonhos, que pode levar ao crescimento pessoal. É natural querer interpretar todos os sonhos pela aparência, e às vezes você realmente pode fazê-lo: não será preciso analisar profundamente um sonho sobre um vazamento na geladeira se você estiver aguardando o recebimento de uma nova geladeira na manhã seguinte. No entanto, em geral há mais coisas além da superfície. Sua história, suas crenças e suas opiniões particulares vão lhe permitir saber quando um roteiro erótico representa uma questão maior e quando é apenas uma válvula de escape sexual.

Meu objetivo ao escrever *Sonhos eróticos* é ajudá-lo a descobrir os significados sexuais subliminares de seus sonhos, além de lhe fornecer o *know-how* para entender esses sonhos no contexto de sua vida. Dissecar sonhos pode parecer uma tarefa amedrontadora, especialmente para leigos. Mas acredite em mim: você não precisa ser um aplicado estudante de Freud, Jung ou da ciência do sono para chegar ao cerne da questão. Sonhos são mais do que uma receita mirabolante preparada pela química cerebral; são mensagens do invisível, do nosso inconsciente para nosso consciente – e às vezes até mesmo mensagens de um ser superior. Comecei a me interessar pelo assunto porque estava em busca de crescimento pessoal e bem-estar espiritual. Acredito que o ingrediente-chave para quem quer extrair sabedoria dos sonhos é a disposição para ouvir seu subconsciente com atenção, reter essas informações e trabalhar com elas.

Aproveitando este livro ao máximo

E se você não se lembra dos seus sonhos? Além de repassar algumas noções básicas, eu o guiarei em exercícios que lhe permitirão lembrar seus sonhos eróticos em vívidos detalhes. Quer infundir sonhos eróticos em seu descanso noturno? Vou ensiná-lo a criar roteiros sexuais personalizados. Você não entende o significado de certos objetos e lugares nos seus sonhos? Os temas básicos de seus sonhos serão revelados, então você poderá identificar o significado sexual por trás deles. A questão do gênero é relevante nos seus sonhos? Vou salientar as diferenças entre os sonhos masculinos e femininos e revelar alguns símbolos surpreendentes que, no fundo, representam órgãos sexuais e situações eróticas! Este livro trata de toda a variedade de sonhos sexuais – desde as cenas divertidas e tentadoras induzidas por seus amantes oníricos até os sonhos com adultério, mais sérios e de origem psicológica. Você também conhecerá muitas pessoas que mudaram a vida para melhor após dedicar-se à interpretação dos sonhos eróticos.

Nasci com o dom de saber, ver e sentir coisas sobre as pessoas. Muitos me consideram paranormal. Prefiro dizer que sou intuitiva e tenho um dom que não entendo por completo. Normalmente é esse dom que me ajuda a fazer as perguntas certas para ajudar as pessoas a entender seus sonhos. Espero que, por meio deste livro, eu possa dividir meu dom com você, ensinando-o a se questionar corretamente sobre seus sonhos e, em última instância, sobre sua vida como um todo.

Bons sonhos,
Carol L. Cummings

Como os sonhos funcionam

Reme, reme, reme seu barco
Suavemente rio abaixo
Com alegria, alegria, alegria
A vida não passa de um sonho

Sua mãe deve ter lhe aconselhado a não comer nada pesado antes de dormir para não ter sonhos agitados. Embora as crendices populares tenham um fundo de verdade, você não pode evitar ter sonhos. Todos nós sonhamos. Não deixe os amigos que não conseguem se lembrar dos sonhos convencê-lo do contrário. Na verdade, somos sonhadores de nascença – médicos e cientistas acreditam que mesmo no útero já sonhamos. Quando estão dormindo, as crianças passam a maior parte do tempo sonhando, o que facilita o aprendizado. À medida que envelhecemos, passamos cada vez menos tempo no estágio onírico do sono, embora isso varie de pessoa para pessoa. Se alguém de certa idade se engajar em novos projetos, vai perceber que voltará a sonhar.

ENTRE LENÇÓIS
- Não importa se você se lembra dos seus sonhos ou não; sonhar é algo que acontece a todo mundo, toda noite.
- Em média, as pessoas têm quatro ou cinco sonhos por noite.

- Durante a vida, você terá passado cerca de 6 anos ou 2.100 dias sonhando.
- O cérebro usa mais energia enquanto sonha do que quando trabalha um dia inteiro.

Contudo, se você não se lembra dos seus sonhos, pode achar que sua mente fica vazia enquanto você dorme. Na verdade, é exatamente o contrário. Seu cérebro está fervilhando durante as horas de descanso. Nas últimas quatro décadas, um número considerável de descobertas científicas nos ajudou a entender por que e como sonhamos. Graças a estudos conduzidos em laboratórios do sono, hoje sabemos que as funções cerebrais durante o sonho são muito diferentes daquelas observadas quando estamos simplesmente dormindo.

Estágios do sono

Toda noite, seu cérebro atravessa cinco diferentes estágios de sono; depois, em ciclos, volta a atravessá-los várias vezes até de manhã.

Estágio 1. Seus músculos perdem a tensão, a respiração torna-se regular e seu ritmo cardíaco diminui. Nesse estado de semiconsciência entre a vigília e o sono, você fica completamente relaxado. Também é possível que tenha breves fragmentos de sonho. Às vezes, durante o estágio 1, você tem a sensação de estar caindo ou flutuando. Se acordarmos alguém durante esse estágio do sono, a pessoa provavelmente nos dirá que não estava dormindo. É esse o estágio simulado pela prática da meditação.

Estágio 2. É um estado de sono leve. Durante esse estágio, seu corpo pode ter espasmos ou mover-se bruscamente, seu ritmo cardíaco pode se tornar errático ou diminuir. É durante o estágio 2 que algumas pessoas tendem a falar ou andar enquanto dormem.

Estágio 3. Nesse ponto, você está completamente adormecido. Seus músculos perderam toda a rigidez, sua respiração está lenta, seu ritmo cardíaco diminuiu e sua pressão sangüínea baixou. É difícil acordar alguém durante esse estágio.

Estágio 4. É um estágio mais longo, considerado o mais profundo e relaxante de todos.

Levamos cerca de uma hora e meia para atravessar os estágios de 1 a 4 e completar o primeiro ciclo de sono da noite. Tendo completado esse ciclo, o sonhador volta a uma versão revisada do primeiro estágio – o movimento rápido dos olhos.

Estágio 5. Diferentemente do que ocorre no primeiro ciclo do sono, durante esse estágio o seu batimento cardíaco aumenta e a sua respiração se torna mais irregular. O movimento rápido dos olhos (*rapid eye moviment* ou REM) começa e seus sonhos tornam-se mais vívidos.

Ao fim de cada período REM, seu corpo volta a percorrer o ciclo dos estágios de 1 até 4. A cada ciclo, o período REM dura um pouco mais. Dependendo do número de horas que dorme por noite, você pode ter de três a cinco sonhos, com uma duração de dez a noventa minutos. Mas, afinal, o que provoca os sonhos?

O cérebro durante o sono

Especialistas em sonho examinaram, penetraram e testaram o cérebro de pessoas dormindo, e as conclusões são: os sonhos nada mais são do que um coquetel de substâncias químicas descarregadas no tronco cerebral. Esse processo pode ser simples ou complexo, dependendo de como você o encara. O ponto principal é: existem quatro tipos diferentes de ondas cerebrais – alfa, beta, delta e teta. Quando você está se aproximando de um nível de sono de ondas cerebrais delta, ou seja, do estágio mais profundo do sono, o estágio 4, seu tronco cerebral emite sinais que fazem os neurônios descarregarem substâncias e, assim, um neurotransmissor chamado acetilcolina inunda seu cérebro. Seus níveis de ondas cerebrais começam a diminuir e, durante esse período, os centros sensoriais de seu cérebro – responsáveis, por exemplo, pela visão, pelo som e pelo tato – estão abertos, por isso você pode reproduzir as mesmas sensações nos seus sonhos. Contudo, suas funções motoras, que lhe dão a capacidade de andar ou mover os braços, estão desabilitadas.

Os músculos ficam paralisados, mas o cérebro percebe os movimentos no seu sonho como se fossem reais. Ele começa a usar mais oxigênio, e o fluxo sangüíneo aumenta. O mesmo neurotransmissor envia, então, mensagens para outros neurônios, e imagens visuais são estimuladas. Os cientistas não sabem precisamente se as pessoas experimentam o REM por causa da estimulação visual ou se existe outra razão; o que eles sabem é que a parte superior do cérebro começa a receber informações que lhe transmitem que o corpo está em movimento. A única razão pela qual você não está realmente se movimentando é porque as conexões nervosas estão interrompidas pela acetilcolina. O trabalho da parte frontal do cérebro é examinar a informação recebida. Para tentar explicar os sinais internos de movimentos corporais, imagens, sensações e sons, ela cria uma história a partir deles.

Se você for do sexo masculino, muito provavelmente experimentará uma ereção enquanto dorme. Demonstrou-se em laboratórios do sono que a maioria dos homens tem ereções durante os ciclos REM, independentemente de o sonho ser erótico. Na verdade, os homens só não têm ereção durante o REM quando estão tendo pesadelos ou outros sonhos com alta carga de ansiedade ou medo. Durante o REM, as mulheres recebem um aumento do fluxo sangüíneo na região da vagina e uma lubrificação extra.

"Aquele que tiver aprendido corretamente os sinais que vêm do sono descobrirá que eles são uma importante influência em todas as coisas."
Hipócrates

A psicologia dos sonhos

Temos a sorte de ter tido médicos e cientistas que dedicaram a vida ao estudo dos sonhos. Sigmund Freud e Carl Jung são os psiquiatras mais conhecidos por suas significativas contribuições na compreensão do mundo onírico.

SIGMUND FREUD (1856-1939). O "ato falho" ou "escorregão freudiano" faz parte do nosso vocabulário moderno. Quando ele acontece, instintivamente sabemos que alguém, com suas próprias palavras, inconscientemente expressou algo sexual ou ainda um desejo ou intenção inconsciente. As monumentais contribuições de Freud ainda ditam as regras da moderna psicologia e da interpretação de sonhos. Ele foi, de fato, a primeira pessoa a analisar psicanaliticamente os sonhos. Como existem excelentes livros sobre sonhos que discutem o trabalho de Freud, não vou desenvolver uma longa explanação aqui, mas um panorama das principais teorias freudianas será útil para seu futuro trabalho de interpretação dos sonhos.

Livre-associação. Uma técnica ainda usada na interpretação de sonhos, a livre-associação pressupõe que, se pedirmos aos sonhadores que façam associações entre sua vida real e as imagens dos seus sonhos, poderemos erguer uma ponte entre consciente e insconsciente. Por exemplo, o analista de sonhos pode pegar um símbolo em determinado sonho e pedir ao paciente que pense nas duas primeiras palavras que lhe vêm à mente.

Realização de desejos. Freud acreditava que o consciente reprimia desejos e necessidades inconscientes e que tais desejos eram realizados por meio de sonhos. A censura do consciente também impediria as pessoas de compreender por completo o significado dos sonhos. Por exemplo, se você sonhasse com um pedreiro musculoso trabalhando na sua sala, Freud diria que você deseja transar com um homem musculoso. (Na minha opinião, também pode significar que seu desejo é ver a obra na sua casa terminar de uma vez por todas.)

Deslocamento. O deslocamento ocorre quando, em nossos sonhos, projetamos nossos sentimentos em relação a determinada pessoa em outra. O deslocamento é uma das maneiras pelas quais os sonhadores realizam, em personagens oníricos mais apropriados, seus desejos sexuais ou agressivos para com pessoas reais. Por exemplo, se você estiver brava com seu parceiro porque ele não notou sua *lingerie* nova, poderá ter um sonho em que esteja sufocando outra pessoa com sua calcinha. Freud freqüentemente citava sonhos de deslocamento relacionados a desejos sexuais inadequados, como uma atração romântica em relação a um dos pais, comumente conhecida como complexo de Édipo.

Condensação. Segundo essa teoria freudiana, imagens e símbolos aleatórios de sua vida real muitas vezes convergem em seus sonhos por existir um fio comum que os une.

Representação. Freud acreditava que existem símbolos nos sonhos cujo significado é o mesmo para todos porque representam verdades universais.

Eis uma livre-associação fácil: pergunte a um amigo as primeiras palavras que lhe vêm à mente quando ele ouve o nome Sigmund Freud, e ele provavelmente dirá sexo. Freud acreditava que a maioria dos sonhos representava um desejo sexual ou agressivo reprimido, e que a maioria dos símbolos em nossos sonhos era sexual em essência. Praticamente todos os símbolos num sonho podem ser interpretados como um pênis, uma vagina ou como uma relação sexual.

As contribuições de Freud para o estudo dos sonhos foram muito importantes, e grandes teóricos do sonho trabalharam sob sua influência, incluindo Carl Jung. Enquanto Freud estava interessado em descobrir por que os sonhos ocorriam e acreditava que eles encobriam o subconsciente, Jung estava mais interessado nas informações oferecidas pelos sonhos e acreditava que eles revelavam verdades do subconsciente.

CARL JUNG (1875-1961). Parece que as forças do universo talharam Carl Jung sob medida para desempenhar um papel muito diferente na psicologia dos sonhos. Jung era voltado ao lado espiritual, um místico por natureza. Para ele, o subconsciente sabe tudo e está em contato com – e é guiado por – reinos que o consciente não consegue entender. Ele pregava que os sonhos têm a capacidade de resolver problemas e incentivava os sonhadores a não apenas escrevê-los, como também interpretá-los. Enfim, Jung tirou os sonhos do consultório de psicologia e os entregou ao cidadão leigo.

Arquétipos. Jung divulgou o conceito de arquétipos, similar à teoria da representação de Freud. Arquétipos são associações de imagens e símbolos em que a maioria das pessoas acredita. Jung achava que as informações advindas do subconsciente revelavam verdades maiores que a realidade do sonhador; essas verdades seriam aplicáveis a toda a humanidade e à condição humana em geral. Ele chamava esse fenômeno de inconsciente coletivo. Por exemplo, se você examinar o arquétipo da mãe, verá que algumas características identificadoras, como alimentar, dar a vida, cuidar, representam esse arquétipo para praticamente todos nós. Jung acreditava que, quando temos sonhos sobre arquétipos, isso nos dá a oportunidade de nos colocarmos diante de um espelho e ver como nos comparamos com essa imagem. Podemos, assim, examinar a nós mesmos, nossos desejos e intenções. Jung criou o conceito de inconsciente coletivo, que ele ilustrava por meio de um de seus sonhos. Nesse sonho, ele está explorando dois cômodos de uma casa antes de achar uma escadaria, que desce para a adega. Há uma outra escadaria saindo da adega, que por sua vez leva a uma gruta, onde ele encontra ossos, peças de cerâmica antigas e dois crânios humanos. Segundo Jung, esse sonho significava que, sob nossa consciência (a casa medíocre em que vivemos), jaz nosso inconsciente (a adega) e, num nível ainda mais profundo, está o inconsciente coletivo.

Ainda hoje existe uma divisão entre as correntes de pensamento freudiana e junguiana. Eu tomo o caminho do meio, exatamente como Buda recomendava.

MINHA TEORIA. Embora a maioria dos psicólogos não admita que os sonhos sejam mensagens de um deus, muitos daqueles com quem tenho contato concordam que nosso eu superior tenta se comunicar conosco quando sonhamos. Seus sonhos às vezes estão lhe contando sobre uma parte de seu eu superior que você talvez não esteja expressando ou tenha medo de expressar na vida real.

Não acredito que nossos sonhos estejam propositalmente escondendo algo de nós por meio de símbolos exóticos. Estão, ao contrário, nos revelando coisas, mas de um modo com o qual sejamos capazes de lidar naquele momento. Minha experiência mostrou que, quando estamos dispostos a ouvir, desvendar e trabalhar nossos sonhos, eles se tornam mais literais e fáceis de entender.

Quando você tem um sonho extremamente vívido, isso lhe mostra a complexidade e a criatividade de seu eu superior, a alma, a parte de você que está conectada com uma existência superior. Muitas vezes ouço sonhos cuja sabedoria e habilidade para revelar verdades profundas são desconcertantes.

"Eu fecho os olhos para ver."
Paul Gauguin

> ### ENTRE LENÇÓIS
> - De acordo com Masters e Johnson, um casal de terapeutas norte-americanos, fantasias homossexuais são o quarto tipo de fantasia mais comum entre homens heterossexuais, e fantasias lésbicas são o quinto tipo mais comum entre as mulheres.
> - Os homens experimentam o maior número de sonhos libidinosos na faixa dos 20 anos, enquanto as mulheres têm esse tipo de sonho em torno dos 40.

Tipos de sonho

Nossos sonhos vão desde o tipo mais prosaico, estilo organizando-a-gaveta-de-meias, até sonhos eróticos inebriantes, dignos de um belo filme pornô. Em geral nossos sonhos são simplesmente desencadeados por algo que aconteceu no dia anterior, ou alguns dias antes, ou são um reflexo de nossa atual situação na vida real. Mas além desses sonhos simples, que parecem mais um resíduo do dia, existem vários tipos de sonho que, se compreendidos, podem nos dar um contexto para entender nossos sonhos sexuais. Existe uma infinidade de tipos de sonho e de teorias em discussão no mundo dos analistas de sonhos, mas, como nossa intenção é oferecer subsídios para a interpretação dos sonhos eróticos, vamos nos concentrar em devaneios e fantasias, pesadelos, sonhos recorrentes, sonhos lúcidos e experiências fora do corpo.

> ## ENTRE LENÇÓIS
> - Entre 5% e 10% dos adultos têm pesadelos pelo menos uma vez por mês.
> - A Associação para o Estudo dos Sonhos acredita que os indivíduos mais criativos, sensíveis, crédulos e emocionais têm pesadelos não relacionados a um trauma ou estresse com mais freqüência que o resto das pessoas.
> - A maioria das crianças tem pesadelos dos 3 aos 4 anos e dos 7 aos 8 anos.

DEVANEIOS E FANTASIAS. Você está ouvindo com toda a atenção a apresentação do seu chefe sobre como os resultados estão decaindo no último bimestre quando, de repente, sua mente vagueia e, de um segundo para o outro, você está pensando no tamanho do pênis do rapaz da secretaria, na sua última experiência sexual ou no que vai vestir para sair à noite. Um colega lhe faz uma pergunta e, subitamente, você é atirada de volta à realidade, pois estava devaneando e não ouviu uma única palavra do que o chefe dizia.

Além do fato de que devaneios e fantasias são produtos de nosso consciente e sonhos são produtos do subconsciente, existem outras características que distinguem devaneios e fantasias sexuais de sonhos sexuais. Na maioria das vezes, criamos fantasias com a intenção declarada de ficar sexualmente excitados. Como as conjuramos durante o estado de vigília, elas têm certa lógica e ordem; os roteiros geralmente se limitam a cenários familiares. Nossos sonhos sexuais, porém, raramente seguem algum padrão. Assim como ocorre nos sonhos não sexuais, é como se um mosaico de imagens, lugares e reviravoltas pudesse formar algo consideravelmente mais complexo e inesperado.

Quantas vezes você deixou sua mente viajar em pensamentos como ganhar na loteria, bronzear-se numa praia caribenha de águas cristalinas ou ser possuída por Brad Pitt? Nossos devaneios e nossas fantasias nos brindam com uma breve fuga da realidade. Ajudam a desestressar e relaxar nossa mente e podem, também, oferecer informações tão úteis quanto as dos sonhos, se usarmos as mesmas técnicas para interpretá-los. Não é por terem sido criados por seu consciente que os devaneios e as fantasias devam ser desconsiderados. Pergunte a si mesmo por que teria tido determinado devaneio naquele momento ou por que escolheu determinada imagem e não outra. É possível vislumbrar alguns lampejos da sua vida sexual atual ou de seus desejos e necessidades sexuais futuros por meio de seus devaneios? Prestar atenção a pensamentos e imagens aparentemente arbitrários pode nos dar *insights* valiosos sobre nossos desejos e nossas necessidades subconscientes. Além disso, essas imagens podem aparecer também em nossos sonhos.

PESADELOS. Todos nós já tivemos pesadelos – e não estou falando apenas do bicho-papão que nos atormentava na infância. Esses sonhos perturbadores fazem você se levantar com uma forte sensação de medo e ansiedade, combinada a uma mistura de outras emoções aflitivas. Os temas dos pesadelos variam de pessoa para pessoa e ao longo da vida de cada um, embora o mais comum seja ser perseguido por uma figura masculina desconhecida. Pesadelos podem ocorrer por várias razões, incluindo enfermidades físicas, como febre, uso de drogas ou de medicamentos e também a interrupção desse uso. Mais tipicamente, porém, os pesadelos são causados por um trauma severo – como morte, acidente ou divórcio – que se manifesta à noite, muitas vezes de maneira recorrente. Outra causa comum de pesadelos é o estresse da vida real. O tipo de estresse é irrelevante; o que importa é que seu agente causador está provocando uma ansiedade excessiva quando estamos acordados e reaparece à noite na forma de um pesadelo.

Acredito que os pesadelos surjam quando você não está dando a devida importância ao trabalho que precisa ser feito em sua psique. Examine o que o mantém atado ou o impede de evoluir e crescer como ser humano. Uma das razões mais importantes para sonharmos é entendermos e liberarmos nossas emoções. Sonhar é uma maneira de liberar ansiedade, dor, preocupação, raiva, ciúme, medo e desejo reprimidos.

SONHOS RECORRENTES. Como o nome sugere, sonhos recorrentes se repetem, no que se refere a roteiro ou tema, durante um período de tempo indefinido. Um sonho recorrente pode ser agradável ou pode ser um pesadelo. Durante anos, uma amiga teve o sonho recorrente de ficar presa numa roda-gigante com um garoto por quem ela era apaixonada na segunda série. É fácil imaginar o que isso significava. Ela tinha esse sonho quando sua vida começava a ficar estagnada ou quando era hora de fazer uma mudança. Sonhos recorrentes podem representar um assunto ou uma situação que precisa ser abordado e resolvido na vida real, e sua resolução pode dar fim a essa recorrência. Seus sonhos sempre vão lhe dizer algo sobre o que está acontecendo dentro de você, pode apostar nisso. Se você tem sonhos recorrentes, é sinal de que eles estão tentando chamar sua atenção.

CENA DE SONHO

Jantar de negócios

Os sonhos eróticos de Helen seguem um roteiro básico. Não são todos iguais e envolvem pessoas diferentes, mas em todos ela está sempre agindo de maneira "agressiva e muito indecorosa".

"Estou num jantar chiquérrimo ou num coquetel de trabalho, mas não é o meu emprego real; é algum tipo de trabalho superpoderoso, com muita influência, no qual sou a pessoa mais jovem e em geral uma das únicas mulheres presentes. Meus colegas são todos homens muito bem-sucedidos; eles trabalham duro e jogam duro também.

"O cenário é iluminado por uma luz fraca, cálida, como se houvesse velas. A sala parece quente e abafada, um clima de *high-society*, com móveis de carvalho, bronze e veludo. Respiram-se dinheiro e poder.

"Estou no meio desses homens e, assim que o flerte começa, o jogo começa também. Tudo gira em torno de quem controla quem, e as apostas são altas. Você fará uma aliança ou será derrotada pela emoção e se trairá? Emoção não tem nada que ver com isso; trata-se de controle e poder.

"Hoje à noite, o jogo de xadrez mental começa com meu chefe, a bola da vez. Ele é jovem e está em ascensão meteórica na empresa. Preciso dar uma volta com ele. Ele está intrigado, embora não demonstre. Os drinques vão se sucedendo e minha guarda vai baixando, mas nunca o suficiente para deixá-lo assumir o controle. A conversa se torna intensa e pessoal.

"Ele é excitante e atencioso, diz todas as coisas que quero ouvir sobre a incrível dupla que eu e ele formaríamos. Seu sorriso é hipnotizante e começo a sentir um arrepio na nuca que me faz perceber que estou perdida e preciso fazer amor com ele.

"Ele chega mais perto, à medida que nos afastamos do resto do grupo. Ele descansa a mão em meu quadril e então me segura com força. Inclina-se para me contar um segredo e se move lentamente, com uma respiração que derrete qualquer último sinal de inibição. Esperei tanto tempo para sentir seu beijo. Minha mente gira enquanto nossas roupas voam. É tão intenso, tão vigoroso, tão indecente. Quero que ele toque cada centímetro do meu corpo. Estou trêmula, gemendo algo como 'você não deveria estar fazendo isso com seu chefe'. Ele é tão vigoroso e, de algum modo, sabe tudo que eu quero. Ele diz que estava esperando por isso desde a primeira vez que me viu e que fomos feitos um para o outro..."

À medida que fui trabalhando com Helen, ficou claro que seu parceiro era mais passivo do que ela gostaria em várias áreas da vida em comum, desde a cama até assuntos domésticos. Seu sonho recorrente de ser saciada por um homem poderoso era a maneira que sua psique encontrava de dar um recado claro: ela não queria para si a responsabilidade de ser a principal pessoa a tomar decisões naquele relacionamento. No fundo, seu desejo íntimo era que ela e o parceiro estivessem em pé de igualdade.

SONHOS LÚCIDOS. Você caminha na direção do seu namorado enquanto ele está beijando outra mulher. Observa com curiosidade, mas não está louca da vida porque sabe que aquilo não é real. Você está tendo um sonho lúcido, o que significa que, durante o sonho, tem consciência de que está sonhando. No grau mais alto de lucidez, você tem consciência de que tudo o que está acontecendo é um sonho e sabe que vai acordar. Com um grau de lucidez mais baixo, você tem consciência de que está sonhando, mas talvez não saiba que não é um participante físico e não perceba que, na verdade, está na cama. O engraçado dos sonhos lúcidos é a nossa habilidade de alterar, se quisermos, o curso dos fatos. Você pode deixar o sonho seguir seu caminho ou, se preferir, controlar os eventos nesse mundo onírico onde tudo é possível. Nos sonhos lúcidos você pode criar várias fantasias sexuais que, talvez, não tenha coragem ou habilidade de explorar na vida real. Além de permitir que você engendre sua própria realidade sexual, os sonhos lúcidos podem ajudá-lo a combater pesadelos, permitindo que mude seu curso. Por fim, esse tipo de sonho lhe permite treinar para eventos reais, explorar a criatividade, resolver problemas e, até, visualizar uma cura.

> *"Nossa vida mais verdadeira ocorre quando estamos sonhando acordados."*
> Henry David Thoreau

> ### ENTRE LENÇÓIS
> - Voar e transar são os temas mais presentes nos sonhos lúcidos.
> - Em média, as pessoas passam de uma a duas horas por dia devaneando.
> - A lucidez tem sete vezes mais probabilidade de deixar os pesadelos melhores do que de piorá-los.

EXPERIÊNCIAS FORA DO CORPO. Para muitas pessoas, praticar sonhos lúcidos é o primeiro passo rumo à realização de uma experiência fora do corpo. Seu impulso sexual interno é a força que cria experiências fora do corpo, as quais podem acontecer quando você estiver dormindo ou, se tentar com muita intensidade, quando estiver acordado, desde que esteja num estado de profundo relaxamento. Os xamãs de qualquer tradição, assim como os praticantes tântricos da ioga kundalini ao redor do mundo, freqüentemente invocam esse tipo de sonho. Essas pessoas sabem que a energia sexual pode ser concentrada num núcleo que projeta o espírito para fora do corpo, permitindo que ele visite pessoas ou lugares no plano físico. O espírito também pode viajar para o plano astral, onde encontrará outros sonhadores que também estejam tendo experiências fora do corpo. O espírito pode comunicar-se com outras entidades que estejam na forma espiritual, como pessoas mortas ou seres que nunca tenham tido um corpo físico.

Minha primeira experiência fora do corpo foi em 1983. Lembro tão claramente como se tivesse acontecido ontem à noite. Eu estava sonhando que voava quando, de repente, tomei consciência de que estava no canto do meu quarto, flutuando ao nível do teto e observando, embaixo, meu corpo adormecido. Por alguma razão eu não estava alarmada, e sim curiosa. Não passeei pelo quarto para me divertir ou tentar controlar aquilo como muitas pessoas que praticam sonhos lúcidos e experiências fora do corpo fazem. Em vez disso, via uma cena que me era mostrada na parede oposta do quarto.

A cena era uma representação grotesca de um evento trágico, mas eu não recuei nem senti medo. Apenas observava. De algum modo tinha consciência de que havia uma razão para a cena estar sendo reproduzida diante de mim. Eu disse "sendo reproduzida", mas não sei lhe dizer como eu sabia disso naquele momento. Apenas sabia que não estava simplesmente assistindo à cena que ocorria na minha frente. Tinha consciência de que aconteceu na vida real, no mesmo lugar, em algum momento do passado. Não me lembro de ter voltado a meu corpo aquela noite, mas já tive uma série de experiências desse tipo em que senti o corpo adormecido estremecendo no momento em que eu reentrava nele.

Quando acordei na manhã seguinte, lembrava tudo o que tinha vivenciado. Instantaneamente entendi por que, durante os dois anos que passei naquele condomínio, eu havia acordado todas as noites aproximadamente às 2 horas da madrugada, sendo incapaz de voltar a dormir no quarto. O evento que eu testemunhava todas as noites havia ocorrido naquele quarto às 2 da madrugada, em algum momento do passado. De repente, entendi por que conseguia voltar a dormir sem nenhum problema no sofá da sala, mas não no meu quarto. Evidentemente, todas as noites, às 2 da madrugada, meu inconsciente captava a ruptura energética no quarto, mas meu consciente não havia percebido nada durante os dois anos anteriores a minha primeira experiência fora do corpo. Nessa experiência, uma fonte mais profunda havia revelado a meu espírito a origem da agitação.

Se quiser saber mais sobre experiências fora do corpo, recomendo que leia alguns livros a respeito, como o clássico *Viagens Fora do Corpo* (publicado no Brasil pela Record), de Robert Monroe. Outro autor, Robert Moss, também dá algumas orientações em seu livro *Conscious Dreaming* [O Sonhar Consciente], ainda não publicado no Brasil. Segundo ele, uma das maneiras de ter uma experiência fora do corpo é permitir-se o excitamento sexual (com ou sem um parceiro), mas não se permitir chegar ao orgasmo. Em vez disso, Moss recomenda passar a energia para um nível ou dimensão superior. Se antes de fazer amor duas pessoas combinarem um local de encontro no plano astral, diz ele, e se ambas conseguirem chegar lá juntas, elas serão capazes de fazer explorações e experimentações fora do corpo. E, ao retornar, poderão comparar suas impressões.

Quando você aprender a ficar acordado em seus sonhos, será capaz de viajar para territórios oníricos que nem sequer imagina. E, se treinar para despertar *de* seus sonhos noturnos, também ficará mais fácil despertar *para* seus sonhos diurnos.

Pesadelos, sonhos recorrentes, sonhos lúcidos e experiências fora do corpo podem revelar uma camada mais profunda de verdade em nossos sonhos eróticos. Com a prática, você pode aprender a decodificar a linguagem simbólica que eles contêm, além de entender a relação entre os símbolos e o tipo de cada sonho.

SONHOS SEXUAIS. Agora, aquilo que você tanto esperava: uma explicação sobre seus sonhos eróticos ou sexuais. Se você não estiver se lembrando de nenhum, talvez se surpreenda ao saber que muitos sonhos são sexuais em essência. Basta dizer que um homem comum tem pelo menos três sonhos sexuais por semana. Como analista de sonhos que atende a consultas num programa de rádio, interpreto milhares deles a cada ano. Aparentemente, muitos não parecem sexuais, mas um olhar mais atento com freqüência revela algo diferente. O ouvinte descobre que seu inconsciente andou bolando uma historinha picante.

Ao contrário dos sonhos não sexuais com implicações sexuais, os sonhos escancaradamente eróticos tendem a se basear, como diria Freud, na realização de desejos. Provavelmente, você esteve fantasiando sobre seu parceiro ideal, aquele que você imagina capaz de satisfazer seus anseios secretos, e essa pessoa aparece em seus sonhos. Você pode viver as fantasias mais selvagens no próprio quarto, enquanto dorme. Pense nisso como uma espécie de treino, a maneira que sua mente encontra de prepará-lo para a vida real. Comece se programando para ter sonhos que revelem seus desejos mais íntimos. Faça um contrato inviolável com seu subconsciente e, então, ouça suas sugestões quando ele revelar, em sonhos, como você quer ser beijado e acariciado ou de que você necessita para tornar sua atividade sexual realmente satisfatória. Ou, talvez, haja algo que você queira eliminar para tornar sua vida sexual mais excitante. Seja como for, sonhos sexuais "puros" são uma extensão de suas fantasias diurnas, conscientes ou não, e você pode ter reprimido os desejos por alguma razão. Quando acordado, você provavelmente reprime os desejos que não se encaixam num juízo de valor tradicional – talvez você seja casado, noivo ou comprometido com outra pessoa.

CENA DE SONHO

A garota do ponto

Sérgio é casado e tem cinco filhos. Está indo ao trabalho quando vê uma mulher sensual abaixar-se para pegar algo no ponto de ônibus da esquina, e então dá uma boa espiada. Começa a imaginar que poderia estar na cama com ela. "Queria que ela envolvesse minhas costas com aquelas longas pernas, e aquele seu bumbum, ah! como eu queria...", pensa ele, até que seu desejo chegue ao máximo. Ele está sentindo mais do que um mero interesse casual. Essa fantasia não significa, porém, que Sérgio tem planos de voltar a vê-la, ou mesmo de falar com ela, mas mostra que não se trata de um simples pensamento passageiro. Ele nem saberia o que fazer se trocasse olhares com ela; na verdade, isso provavelmente arruinaria sua fantasia. Nessa mesma noite, Sérgio sonha que

> está numa transa selvagem com a bela desconhecida. No começo, está tonto de desejo. Logo acaricia e beija a desconhecida numa entrega total, enquanto ela geme de prazer. Ele faz o papel do galã, todo delicado e romântico, quando na vida real está acima do peso e há anos não compartilha nenhum pensamento íntimo com qualquer mulher. Ao acordar, Sérgio sente-se satisfeito e feliz.

Sérgio é infeliz em seu casamento? Provavelmente não. Tudo isso pode ser apenas a realização de um desejo ou que as necessidades de realização sexual há tanto tempo adormecidas estão demandando sua atenção. Fantasias sexuais como essa em geral são pouco investigadas. Mas você se surpreenderia se soubesse que elas também têm seu valor? Na verdade, as fantasias funcionam como válvula de escape para sensações sexuais reprimidas. Para o ego, funcionam como mecanismo de controle: quem tem uma válvula de escape para as fantasias não precisa levá-las a cabo.

Meu desafio ao reunir dados para este livro foi encontrar pessoas dispostas a falar abertamente sobre seu comportamento sexual. Em geral, elas ficam muito constrangidas em discutir temas considerados tabus e que estão presentes em seus sonhos. E, mesmo quando estão dispostas a compartilhar suas histórias, muitas vezes essas pessoas são incapazes de lembrar detalhes. Na verdade, elas podem ficar chocadas com o conteúdo sexual de seus sonhos; então, para se proteger desse choque, tendem a esquecer tais sonhos imediatamente. É como se elas quisessem rejeitar a simples idéia de ter criado histórias assim! Muitos desses sonhadores não percebem que, revelando seus sonhos mais libidinosos, sentiriam menos ansiedade, culpa e vergonha e, ao mesmo tempo, aumentariam sua compreensão a respeito de si mesmos e dos outros. A energia sexual é, na realidade, uma força positiva que freqüentemente é mal interpretada.

O subconsciente. Não importa se você anda tendo sonhos sexuais maravilhosos, ou ruins, ou ainda nenhum sonho sexual; seja como for, sua mente é como um computador que capta todos os dados e os armazena para uso futuro. O subconsciente tudo vê, tudo ouve, nunca dorme, nunca esquece; registra tudo aquilo com que entra em contato e recebe como verdade todos os dados aos quais está exposto. Ele simplesmente aceita e reage.

TRABALHO COM O SONHO

UM DIA NOS MEUS SONHOS

Objetivo: aumentar a capacidade de se lembrar dos sonhos

Fazer um registro diário é uma das melhores maneiras de aumentar a capacidade de se lembrar dos sonhos. Além disso, essa prática também eleva o número e a freqüência deles. Já foi constatado que, cinco minutos após o fim de um sonho, metade do conteúdo é esquecida. Dez minutos depois, no mínimo 90% terá se perdido. Compre um diário para registrar seus sonhos; será uma maneira de honrá-los e a você mesmo. Sugiro que compre um caderno que você ache atraente e o use especificamente para anotar seus sonhos. Acho importante comprar um caderno duradouro e marcante, como um diário com capa de couro, ou, pelo menos, um caderno que você não se incline a jogar fora quando o tiver completado. Nesse livrinho estarão registrados seus pensamentos e desejos mais íntimos, expressos na forma de sonhos. Seu diário de sonhos pode ser transmitido a seus filhos ou talvez a outros membros da família. Caso se transforme num livro especialmente belo, pode até virar uma relíquia.

Talvez você prefira usar também um fichário, assim poderá rascunhar notas rápidas sobre os sonhos e depois passá-las a limpo no diário. Costumo comprar alguns diários com o mesmo *design* e numerá-los na contracapa. Meus diários não são muito elaborados, mas são especiais para mim. O importante é iniciar o processo e fazer do registro diário de sonhos um hábito.

Na semana seguinte, mantenha seu diário de sonhos próximo da cama. Antes de dormir, reserve alguns minutos para relaxar, lembrando que nessa noite recordará seus sonhos. Não pense em nada em particular. Na manhã seguinte, ao despertar, fique na cama por alguns instantes, acordando vagarosamente. Ainda de olhos fechados, reproduza o sonho em sua mente. Eis os elementos que você deve registrar:

- **Data do sonho**
- **Quem** Escreva sobre os personagens, incluindo homens, mulheres, crianças, animais, monstros, alienígenas e pessoas sem rosto ou criaturas. Em linhas gerais, cada pessoa que aparece no sonho representa um aspecto seu que você não está emocionalmente preparado para aceitar, então você inventa um personagem para desempenhar aquele papel.
- **Quando** Anote se era noite ou dia em seu sonho. Registre a estação ou época do ano e se o sonho se passava no passado, presente ou futuro.
- **Onde** Escreva onde você estava no sonho — cidade, estado, país, casa em que passou a infância, casa em que vive ou viveu com um cônjuge, escola, trabalho, igreja, bar ou academia. Inclua cômodos específicos.
- **O que** O que estava acontecendo? Qual ação estava se desenrolando? Você estava correndo? Brincando? Voando? Essa parte pode se tornar bastante extensa, porque inclui todos os elementos do sonho.

Tente lembrar os sentimentos que teve durante o sonho, assim como os sentimentos remanescentes quando você despertou. Descreva brevemente pensamentos, lembranças que o sonho pode ter despertado ou idéias sobre como as imagens, os símbolos e os personagens podem estar relacionados a você. À medida que repetir esse processo noite após noite, você começará a se lembrar mais e, posteriormente, conectará esses sonhos ao subconsciente.

COMO APROVEITAR AO MÁXIMO SEU DIÁRIO DE SONHOS

- Antes de deitar, reserve alguns minutos para anotar os mais importantes eventos, pensamentos e sentimentos de seu dia. Mais tarde essas informações o ajudarão a interpretar seus sonhos, e você poderá aplicá-los à situação que estava atravessando.
- Evite ingerir álcool e cafeína uma hora antes de dormir.
- Mantenha uma caneta que brilha no escuro perto do diário, assim você poderá registrar seus sonhos silenciosamente na escuridão do quarto.
- Escreva no presente.
- Não se limite apenas a escrever; às vezes desenhar imagens dos seus sonhos pode ajudar a recordá-los.

Como criar os próprios sonhos

"Nunca consigo definir se meus sonhos são o resultado de meus pensamentos ou se meus pensamentos são o resultado de meus sonhos."
D. H. Lawrence

Você está cansado de consultar seu melhor amigo, seu terapeuta ou o horóscopo para definir se seu relacionamento já era? Muitas pessoas recorrem a fontes externas em busca de orientação sobre questões românticas ou sexuais, quando na verdade as respostas estão dentro delas mesmas. Agora que você já treinou um pouco a recordação de sonhos, sugiro que faça uma experiência de incubação de sonho. Um sonho incubado é aquele em que você, ao sonhar, pede informações específicas a si mesmo. Quando incuba um sonho, você o faz a partir do desejo consciente de ter um sonho a sua escolha. É preciso intenção para que a incubação dê certo. Essa prática o ajudará a encontrar respostas para questões sexuais em seus sonhos, mas você também pode incubar um sonho sexual apenar por prazer. A maioria das pessoas tem sonhos espontâneos oriundos de pensamentos inconscientes, mas se você alguma vez passou o dia pensando em determinado assunto ou problema e depois teve um sonho sobre aquele assunto específico na mesma noite, então você teve uma forma espontânea de sonho incubado.

> ## BELISCADA NOTURNA
>
> Está provado que determinados alimentos, vitaminas e ervas aumentam nossa capacidade de recordar sonhos. Tente comer alguns dos alimentos que contêm triptofanos indutores do sono antes de deitar, pois assim você aumentará a freqüência de seus sonhos e sua capacidade de recordá-los.
>
> Experimente alguns destes: *agrião, aipo, alfafa, aveia, batata-doce, beterraba, brócolis, carne bovina, cebolinha, cenoura, couve-de-bruxelas, couve-flor, endívia, espinafre, feijão, frango, leite, nabo, nozes, ovos, peixe, peru, queijo* cottage *e soja.*
>
> Também seria bom adicionar estas vitaminas e ervas a sua dieta:
> - vitaminas do complexo B, especialmente B_6;
> - ginseng;
> - melatonina;
> - erva-de-são-joão.

INCUBE UM SONHO. Tente recordar seus sonhos por pelo menos um mês antes de exigir algo mais complicado de seu eu onírico. Quando estiver mais confiante em sua capacidade de lembrar sonhos, você poderá selecionar um sonho em particular sobre o qual gostaria de ter mais informações. Mergulhar profundamente em um sonho já sonhado é uma maneira de facilitar a incubação de outro a partir do zero.

PLANEJE E VERBALIZE. Escolha a pergunta que você gostaria que fosse respondida em seus sonhos ou o sonho sexual que você gostaria de incubar. Pense na pergunta ou no sonho requisitado várias vezes ao longo do dia. Assuma o compromisso de expressar seu desejo verbalmente pelo menos duas vezes enquanto estiver acordado. Por exemplo, a caminho do trabalho, de manhã, você pode dizer em voz alta: "O que aconteceria se eu resolvesse me casar com Tomás?" ou "Hoje à noite sonharei detalhes claros sobre o desconhecido que estava no encontro romântico com que sonhei ontem". Verbalizar seu desejo é o caminho certo para concretizar seus sonhos incubados. Suas palavras podem criar sua realidade, tanto na vigília quanto nos sonhos, conforme a seguinte história demonstra.

Minha mãe era alcoólatra desde antes de eu nascer. Convivi com ela apenas por cinco anos durante a adolescência. Lembro que, sempre que acordava de ressaca, ela dizia: "Sinto-me como se tivesse sido atropelada por um caminhão". Em 2 de abril de 1986, enquanto ia a pé para o trabalho de manhã, um caminhão a atingiu em cheio por trás. Ela nem sequer o viu chegar. O sol nascente havia cegado o motorista, que também não a viu. Ela tinha apenas 59 anos.

Não me agrada falar disso, mas é a melhor prova que tenho de como nossas palavras podem criar uma realidade específica. Então, da próxima vez que você se pegar dizendo coisas como "Estou farto disso", "Não posso suportar isso", "Isso me mata" ou alguma outra expressão com a qual você convive desde a infância, pense duas vezes. Se você disser a si mesmo todas as noites ao se deitar: "Está tão tarde, acordarei cansado amanhã", você realmente acordará cansado na manhã seguinte!

LIMPE SUA MENTE. Após as atividades da noite e antes de se deitar, reserve alguns minutos para limpar a mente de tudo que aconteceu durante o dia. Essa é uma prática incrivelmente útil para deixar sua "tela" emocional e mental livre de resíduos indesejados. Em seguida, reveja seu dia de trás para a frente. Pense no que aconteceu exatamente antes de você se deitar, examine tudo que foi dito ou qualquer sentimento que o tenha invadido e, então, liberte-se de tudo com um profundo e purificador suspiro.

ESCREVA. Uma vez revisto seu dia, você está pronto para escrever seu pedido de incubação. De acordo com suas crenças e sua personalidade, você pode dirigir seu pedido a si mesmo, a seu subconsciente ou a um poder superior. Faça como se sentir melhor. Após escrever o pedido, acrescente que gostaria de se lembrar do sonho e que fosse fácil entendê-lo pela manhã. Coloque a anotação sob o travesseiro, apague as luzes e prepare-se para dormir. Um pouco antes de adormecer, quando já estiver "apagando", pense no que está escrito e repita o pedido silenciosamente a si mesmo uma última vez.

AROMATERAPIA PARA SONHADORES	
Intenção	Essências
Amor	bergamota, jasmim, almíscar, patchuli, rosa, ilangue-ilangue
Prosperidade	cedro, canela, cravo-da-índia, menta, pinho, sândalo
Proteção	âmbar, basílico, funcho, incenso, mirra, sálvia, verbena
Intuição/*insight*	lavanda, narciso, glicínia
Purificação	cânfora, pinho, alecrim, sálvia
Cura	bálsamo, incenso, gengibre, erva-cidreira, mirra, bétula

"*Se você amar isso o bastante, nada vai convencê-lo do contrário.*"
George Washington Carver

Ao meditar sobre um pedido de sonho ou ao se desconectar, talvez você prefira descansar a cabeça num travesseiro aromático ou cercar-se de óleos essenciais para facilitar determinado pedido.

Se não tiver êxito da primeira vez, tente de novo. Às vezes um pedido de sonho pode ser prontamente atendido; outras vezes pode requerer muitos experimentos. Pode acontecer, também, de você ter um sonho aparentemente sem relação alguma com o pedido, o que o fará supor que não está recebendo a resposta solicitada. Mas na verdade você apenas não está apto a ver como o sonho responde a sua pergunta. Nesse caso, peça mais informações sobre o que obteve.

Às vezes, incubar um sonho pode levar dias ou até meses. Quando seu subconsciente finalmente aceitar a idéia de que você está disposto a trabalhar com ele, conseguirá o que pediu. Ao iniciarem o processo de incubar um sonho, algumas pessoas têm sucesso imediato, mas outras precisam de prática. Certa vez, precisei de sessenta dias para incubar um único sonho! Seja paciente; se praticar a incubação de sonho, mais cedo ou mais tarde ele acontecerá.

A título de revisão, siga estes passos para ter o sonho que desejar:

1. Deseje e planeje ter determinado sonho.
2. Pense nisso durante o dia e diga em voz alta para acrescentar som à criação.
3. Limpe sua mente.
4. Faça um acordo por escrito com seu subconsciente.
5. Coloque o acordo debaixo do travesseiro.

TRABALHO COM O SONHO

SEUS OLHOS ESTÃO FICANDO PESADOS...

Objetivo: Ajudá-lo a criar sonhos específicos usando o subconsciente.

Uma ferramenta útil para ajudar a mudar seu subconsciente são CDs para aprender dormindo. Existem gravações sobre vários assuntos, desde aprender uma língua estrangeira até mudar a maneira de pensar, curar alguma doença, perder peso, lembrar-se dos sonhos ou mudá-los. Em geral, esses programas combinam música relaxante com afirmações faladas. Não é necessário, porém, que você compre um desses CDs comerciais. Você pode gravar a própria voz num CD, dizendo coisas positivas que deseja alcançar ao sonhar. Reproduza a gravação pelo menos uma vez por dia durante um mês. É importante reproduzi-la diariamente por um mínimo de 28 dias consecutivos; o cérebro precisa desse período de tempo para alterar uma crença, uma atitude ou um hábito.

Faça uma lista do que gostaria de alcançar como resultado final de sua mudança de pensamento. Sua lista deve incluir o que você deseja obter de seus sonhos e os detalhes que mais quer recordar. Use afirmações positivas na gravação; evite frases negativas, como: "Não quero esquecer meus sonhos". Em vez disso, diga: "Quero lembrar meus sonhos", "Estou pronto para escutar o que meus sonhos sexuais têm a me dizer", "Terei sonhos fáceis de entender" ou "Incubarei um sonho". Ao terminar a lista, use-a como *script*. Grave essas afirmações positivas em uma fita cassete ou um CD que você destinou para o aprendizado de reprogramar seu subconsciente.

Talvez você queira incluir afirmações positivas relacionadas a um novo amor em sua vida, tais como: "Estou aberta(o) e receptiva(o) para ter um relacionamento amoroso de longo prazo com um(a) homem (mulher) disponível, confiável, saudável, romântico(a), atraente, inteligente e com uma boa situação financeira". Obviamente, você terá os próprios requisitos para um parceiro. Apenas tenha cuidado com o que pedir, porque você pode ser atendido. Não estou dizendo que será atendido imediatamente. Fiz esse exercício dez anos atrás e, seis meses depois, encontrei o homem que havia pedido. A única coisa que eu havia me esquecido de dizer ao universo era minha faixa etária preferida — fiquei com um rapaz dezessete anos mais novo que eu. Conheço pessoas que fizeram esse exercício mas se esqueceram de mencionar que queriam um parceiro disponível e — claro! — atraíram parceiros que já eram casados. Portanto, para seu próprio bem, seja específico.

A lista de afirmações e a gravação podem ser feitas em aproximadamente uma hora. Você pode comprar um CD por menos de dois reais e hoje em dia é muito fácil fazer esse tipo de gravação. Trata-se, enfim, de algo fácil, econômico, divertido e que pode até mudar sua vida, se você se der a chance. Ouvir é o de menos: você pode fazê-lo na hora que quiser, até mesmo várias vezes ao dia. Você pode ouvir suas afirmações no carro ou, com fones de ouvido, no ônibus, no metrô ou no trem a caminho do trabalho. Recomendo ouvi-las um pouco antes de dormir. Em algum momento todos nós precisamos dormir, então não use a desculpa de não ter tempo de fazê-lo. Todo mundo tem tempo; o que conta é o que a gente faz com ele.

Caso não se lembre dos seus sonhos, ou queira criar determinado sonho, coloque simplesmente seu CD para tocar e programe o aparelho para repeti-lo continuamente ao longo da noite. Imediatamente você perceberá que é capaz não apenas de recordar seus sonhos, como também de ter sonhos que revelem situações com as quais precisa trabalhar.

FAÇA POR ONDE, QUE ELE VIRÁ. Deseje criar uma experiência sexual em seu sonho, seguindo os passos descritos e criando um ambiente propício a sonhos eróticos. Dessa forma seu amante onírico virá. Você pode decidir incubar um sonho sexual, independentemente de estar envolvido num relacionamento ou apenas em busca de um parceiro. Pode incubar um sonho para investigar seus relacionamentos sexuais atuais, fantasiar sobre um amante onírico ou encontrar um futuro amante em potencial. Seja como for, cada tipo de incubação de sonho erótico pode lhe fornecer novas percepções sobre si mesmo e seus relacionamentos sexuais.

CENA DE SONHO

Fantasia oriental

"Sonhei com a Ásia três vezes nesta semana. No primeiro sonho, estava numa viagem de negócios a Tóquio, sentado no avião entre duas mulheres incrivelmente belas: uma loira discreta, magra, de óculos, que lia o tempo todo, e uma morena com um vestido curto, creme, cujos seios impressionantes, volumosos, projetavam os mamilos rígidos sob o tecido. Em determinado momento, embora muitos passageiros tivessem adormecido, ficou óbvio que a morena escorregou a mão para baixo do vestido e começou a se acariciar. Seus olhos estavam fechados e sua respiração tornou-se pesada. A princípio me segurei para não olhar, mas depois não consegui evitar. Ela começou a gemer desesperadamente, prendendo meu olhar como um ímã. Nesse momento, tive uma rígida ereção. De repente, lembrei-me da discreta jovem sentada a minha direita e tentei me recompor. Dei uma espiada para ver se ela estava se dando conta da tórrida cena e percebi, instantes antes de acordar, que ela estava lendo um livro ilustrado de posições sexuais.

"O sonho seguinte transcorreu num clube de cavalheiros de uma grande cidade asiática. Estava entretendo clientes com uma colega de trabalho. Ríamos, nos divertíamos e parecia perfeitamente normal a existência de mulheres seminuas andando de um lado para o outro com bandejas de drinques grátis na mão. Num palco bem na nossa frente, dançarinas de *strip-tease* contorciam-se em torno de barras verticais, dando beijos de língua umas nas outras e projetando o bumbum nu na nossa direção. De repente, a música mudou de uma batida de discoteca para algo mais lento. As cortinas se abriram revelando uma espécie de palco com pouca iluminação, ocupado por um sofá de seda e alguns personagens masculinos e femininos usando roupões sensuais. Em poucos instantes os roupões caíram e os corpos nus passaram a se movimentar bem lentamente. O clube inteiro desapareceu e eles ficaram se apresentando só para mim.

"O último sonho se passou num majestoso quarto de hotel no Extremo Oriente. Fui despertado por uma batida na porta. Era o rosto de Keila, minha atual namorada, com o corpo de Luíza, minha ex-namorada. (Sei disso porque vi a marca de nascença de Luíza, em forma de lua crescente, na parte interna da coxa.) Eu não esperava por ela e fiquei

> preocupado em não ter energia suficiente para aquilo, mas ela queria que eu continuasse semi-adormecido. Delicadamente, ela me conduziu por uma série de posições sexuais com as quais não estava familiarizado. Embalamos um ao outro e, em seguida, nos separamos abruptamente. Logo nos juntamos outra vez e então nos aconchegamos e nos acariciamos com paixão. Quando ela caiu no sono, percebi que chegara sem bagagem alguma, a não ser uma sacola repleta de livros."

Na vida real, Keila, a namorada jovem e flexível de Marcos, sempre queria sexo acrobático. Suas contorções "rocambolescas" o deixavam excitadíssimo, mas também o exauriam. A ex-namorada era mais espiritual, e a transa deles era sempre uma experiência intensamente vivenciada. Havia meses que ele vinha querendo conversar com Keila sobre suavizar aquelas sessões de sexo atlético, mas não se sentia confortável em fazê-lo por medo de que ela encarasse a sugestão como uma crítica a seu saudável apetite por sexo. Após três noites de sonhos eróticos, Marcos fez uma pesquisa que revelou informações na forma de posições sexuais ilustradas em livros. Forçado a pensar ininterruptamente em discutir o relacionamento com a namorada, Marcos acabou deparando com a resposta em seus sonhos.

ANALISE SEU ATUAL RELACIONAMENTO AMOROSO. Se você atualmente está se relacionando com alguém, o sexo pode ser um dos tópicos mais difíceis de abordar. Muitas vezes não conseguimos responder a nossas próprias perguntas sobre desejos e necessidades sexuais por causa de questões pessoais que cercam o sexo, e nem sempre podemos contar com os parceiros para nos fornecer as respostas.

CENA DE SONHO

Lenha na fogueira

Nos últimos três anos, Paulo e Joana têm mantido um relacionamento sério e afetuoso e, às vezes, discutem planos futuros, até mesmo casamento. Joana ama Paulo, mas sente um angustiante desconforto diante da idéia de se casar, esquivando-se todas as vezes que o namorado toca no assunto. Ela já confessou a amigas solteiras que sua vida sexual não é um mar de rosas. Embora Paulo tenha sido o único parceiro sexual de Joana até hoje, ela tem amigas que sabem perfeitamente como devem ser os prazeres do sexo. O que mais a preocupa é achar que nunca teve um orgasmo de verdade. As experiências sexuais com Paulo lhe dão prazer, mas ela sente que poderia haver algo mais e está com medo de passar a vida toda com um homem que jamais conseguirá satisfazê-la. Ela já tentou falar com Paulo a respeito, mas a conversa normalmente termina num desconfortável silêncio.

Numa última tentativa de salvar a vida sexual dos dois, Joana decide incubar um sonho sobre aquilo que está lhe faltando em relação ao sexo. Ela planeja incubar um sonho que revelará como ter um relacionamento mais sexualmente satisfatório tendo orgasmos com Paulo; depois, verbaliza essa pergunta várias vezes ao longo do dia. Após duas semanas trabalhando nisso, Joana tem um sonho em que, antes de fazer amor, ela e Paulo estão praticando sexo oral simultaneamente. Ao acordar, ela anota seus sentimentos no diário de sonhos. "Estávamos dando prazer um ao outro de maneiras que nunca imaginei que pudessem me agradar. Nós nos revezávamos beijando e acariciando as zonas erógenas um do outro; ficamos na posição 69 pelo que parecia ser uma eternidade. No meu sonho, enquanto Paulo praticava sexo oral em mim, eu

> gemia de prazer até gozar, esguichando um líquido morno. E não sentia um pingo de vergonha por isso. Muito pelo contrário: estava orgulhosa do meu orgasmo. Praticamos sexo oral em várias posições diferentes, indescritíveis, que sem dúvida estou disposta a experimentar." Naquela noite, Joana decidiu pôr sua fantasia sexual em ação — com resultados decididamente bons!

PROCURE FUTUROS AMORES. Às vezes as pessoas tentam incubar sonhos para descobrir seus amores futuros. Como já mencionei, é preciso ter paciência e atenção; as respostas que recebemos de nossos sonhos nem sempre são sexuais em essência, conforme discutimos no capítulo 1.

Sheila decidiu incubar um sonho para conhecer seu futuro amor. Seu subconsciente lhe respondeu com este sonho: ela viu uma recepcionista num coquetel de comemoração, com vários canudinhos de drinque, muito coloridos, na mão. A moça estava perto de uma porta e prestes a entrar em uma sala para oferecer os canudinhos aos convidados.

Inicialmente, Sheila achou que sua tentativa de incubação de sonho não havia dado certo. A verdade é que, embora ela não tivesse obtido uma resposta completa na primeira tentativa, havia alguns símbolos interessantes em seu sonho, como a recepcionista do coquetel: a palavra *coquetel* vem do inglês *cocktail*, literalmente "rabo de galo" – o galo é um símbolo sexual masculino, e o rabo, um símbolo sexual feminino. Uma comemoração é uma festa para celebrar uma conquista pessoal, prestar um tributo a alguém ou a um casal; pode ser uma festa de aniversário, de noivado ou mesmo um casamento. Estar perto de uma porta, prestes a entrar, é o símbolo perfeito que indica a oportunidade de entrar numa área, nesse caso uma oportunidade em que as pessoas também podem "pegar" algo (canudinhos de drinque). Os canudinhos coloridos indicam que todas as opções oferecidas a Sheila são agradáveis; ela só precisa fazer uma escolha! Uma interpretação mais profunda desse sonho revela que Sheila pode ser tanto a observadora quanto a recepcionista; nesse caso, ela está oferecendo suas belas qualidades aos outros e apenas esperando que alguém a escolha. Seja como for, ela precisa solicitar mais informações em seu próximo pedido de incubação de sonho. A boa notícia é que seu sonho revela que ela está pronta e aberta para encontrar um novo amor. E esse foi um primeiro passo para efetivamente fazê-lo.

Às vezes leva dias para destrinchar esses detalhes, outras vezes mais tempo ainda. Quando seu subconsciente finalmente aceitar que você está disposto a cooperar com ele para encontrar as soluções de seus problemas, você encontrará as respostas a suas perguntas em seus sonhos.

"Qualquer coisa que possa fazer, ou sonhe que possa fazer, comece a fazer agora. Existe algo de genialidade, de poder e de magia na coragem."
Johann Wolfgang von Goethe

INCUBE SONHOS COM SEU PARCEIRO. Você também pode incubar um sonho sexual com seu parceiro. Vocês podem, por exemplo, decidir incubar o mesmo sonho sobre algo que ambos desejam ou, sonhando separadamente, vocês podem se encontrar no mesmo local, como uma ilha exótica. Uma vez que seus sonhos são ilimitados e vivenciados como se fossem reais, vocês dois podem criar um plano para sonhar com um local turístico onde possam se encontrar. Quando, no sonho, ambos tiverem chegado ao local combinado, tudo pode acontecer, até mesmo fantasias eróticas.

TRABALHO COM O SONHO

TERAPIA SEXUAL PARA O SUBCONSCIENTE

Objetivo: Ajudar você e seu parceiro a gravar uma fantasia erótica que possa ser usada para melhorar sua vida sexual

Essa fantasia guiada vai ajudar a liberar sua imaginação sexual e preparar sua mente para sonhos mais focados em sexo. Se você e seu parceiro ouvirem a fita enquanto dormem, poderão ficar surpresos ao descobrir que uma grande parte da fantasia sexual de vocês terá aparecido em seus sonhos. Não se esqueçam de discutir os resultados logo pela manhã, ainda na cama.

    O primeiro passo é comprar ou criar um filme erótico. Existem muitos catálogos especializados em entretenimento para adultos, mas talvez vocês se divirtam mais discutindo, e depois documentando, as próprias fantasias pessoais em detalhes. Caso se sintam tímidos ou constrangidos em conversar sobre fantasias sexuais um com o outro, tentem comprar um filme pornográfico juntos e identificar as cenas que mais os excitam. Relaxem o corpo e a mente até sentir que estão entrando no estado alfa, como se estivessem prestes a dormir. Esse material deve ser reproduzido novamente à noite, no quarto, ou a qualquer momento durante o dia quando quiserem ter uma fantasia ou estimular um futuro sonho sexual dessa natureza. A fantasia guiada também pode ser um prelúdio para a incubação. Alimentando sua imaginação e convidando-a a entrar em sua vida, tanto real quanto onírica, vocês estabelecem uma comunicação entre o consciente e o subconsciente.

    INCUBE COM RESPONSABILIDADE. Até agora compartilhei com você os elementos de criação e manifestação dos sonhos. É importante entender a responsabilidade da criação, mesmo quando se trata de um sonho. Eu seria negligente se não o alertasse sobre o risco de usar sua energia de maneira negativa. Por exemplo, incubar ou programar um sonho para se envolver com um ex-amante que terminou o relacionamento com você, ou com alguém que seja casado ou comprometido, cria um vínculo energético, um laço, entre você e aquela pessoa. No fundo, você está "se pendurando" no campo energético de outra pessoa para conseguir o que quer. Isso pode lhe trazer conseqüências negativas, até mesmo um carma ruim. Mesmo que para você tudo não passe de um sonho inocente, as coisas mudam quando a energia entra em jogo.

Tome como exemplo este caso, tirado de uma experiência com um ex-cliente meu: Júlio marcou uma consulta comigo para que eu interpretasse uma série de sonhos que ele vinha tendo. Quando nos encontramos, ele parecia à vontade e autoconfiante. Não se envergonhava de discutir assuntos sexuais nem do fato de se masturbar freqüentemente desde a infância. Mantive a conversa limitada aos sonhos e não o deixei se desviar para a questão dos devaneios.

Naquela noite, fui despertada por um orgasmo intenso. Sabia que era aquele cliente propositalmente invadindo meu espaço onírico. Na manhã seguinte telefonei para ele e o confrontei. Ele confessou que se masturbava tendo devaneios comigo. Eu lhe disse que havia sentido *fisicamente* seus devaneios. Não lhe contei, porém, o efeito que a energia criada por ele em sua fantasia havia provocado em mim. Simplesmente pedi que não voltasse a fazê-lo. Também me recusei a voltar a vê-lo profissionalmente. Isso pode parecer descabido para quem não está familiarizado com a criação de energia, mas acredite em mim quando digo que é real.

Espero que você procure os benefícios positivos da criação de sonhos. Entre esses benefícios podem estar a resolução de problemas sexuais, a cura emocional ou o fortalecimento de um relacionamento sexual atual. Se no momento você não estiver envolvido num relacionamento sexualmente satisfatório, veja essa situação como uma oportunidade de se concentrar primeiramente em amar a si mesmo. Quando você se ama, sente-se feliz sozinho. Se alcançar aquele lugar dentro de você onde é feliz sozinho, provavelmente será mais bem-sucedido em incubar um sonho no qual poderá ter um primeiro vislumbre do amor que está esperando na sua vida. Por favor, seja gentil e paciente com seu eu onírico.

TRABALHO COM O SONHO

O PODER DA INTENÇÃO

Objetivo: lembrá-lo da capacidade de criar intencionalmente sua própria realidade, seja dormindo ou acordado

Richard Bach, autor de *Fernão Capelo Gaivota*, sugere o seguinte exercício: pense num objeto qualquer que você não costuma ver todo dia e retenha essa imagem na mente até que possa visualizá-la claramente. Em seguida deixe a imagem se esvair, tendo em mente que ela voltará para você em breve. Ao longo do dia, pense nesse fato. Ao fazê-lo, apenas relembre a si mesmo que o objeto visualizado em breve voltará a seu campo de visão. Você se surpreenderá ao comprovar como rapidamente o objeto aparecerá na sua vida e, quanto mais praticar, mais rápido verá a imagem.

Minha amiga Janice não acreditava nesse método até experimentá-lo. Ela pensou num objeto com o qual tinha certeza de que não depararia na sua vida cotidiana: um macaco. Janice se concentrou na imagem com os olhos fechados e depois seguiu com as tarefas normais do dia. Aquela tarde, a caminho do supermercado, ela parou no sinal atrás de um carro. E lá, no vidro traseiro do carro, estava um macaco, exatamente como Janice havia imaginado, exceto por ser uma versão em pelúcia.

SONHOS ERÓTICOS

Após praticar esse exercício algumas vezes, tente se concentrar nas imagens sexuais que você quer que apareçam em seus sonhos. Esse exercício é apenas mais um exemplo da seguinte verdade: aquilo em que você focar os pensamentos e a energia aparecerá na sua vida e na vida subconsciente de seus sonhos. Se imaginar determinado cenário ou rosto, é provável que volte a ver essa imagem durante o sono.

3

Interpretando seus sonhos

"Um sonho não compreendido é como uma carta que não é aberta."
Talmude

Talvez você não tenha nenhum problema em recordar seus sonhos, mas o que tudo aquilo significa? A esta altura, talvez você esteja ansioso para conhecer o significado dos sonhos que esteve registrando no seu diário. É hora, então, de libertar sua mente e livrar-se de qualquer noção preconcebida. Abra-se para a possibilidade e o potencial de seu subconsciente. Você é um ser criativo, e seus sonhos comunicam-se com você de maneiras criativas. Vamos, então, à interpretação!

Existem dois segredos para decifrar seus sonhos: o primeiro é fazer-se as perguntas certas para estimular o pensamento criativo a respeito deles; o segundo é ajudá-lo a decifrar os símbolos nele contidos.

FERRAMENTA PARA INICIANTES

Ao praticar a interpretação de sonhos, você pode acrescentar um gravador de fitas a seu arsenal de ferramentas oníricas. Gravar seus sonhos numa fita e, depois, analisá-los em seu diário pode ser uma técnica muito simples e reveladora.

Pergunte a si mesmo...

Sempre que leio ou ouço um sonho pela primeira vez faço as perguntas a seguir. Você pode anotá-las na contracapa de seu diário, a fim de consultá-las durante suas sessões de interpretação de sonhos.

1. Como meu sonho espelha as circunstâncias atuais de minha vida?

Alguma coisa na sua vida real pode ter provocado um sonho específico. Retroceda ao dia anterior ao sonho, ou a uma semana antes, e pense em quaisquer eventos que poderiam ter lhe causado uma reação emocional, o que pode incluir desde eventos de horror até de humor. Esse exame pode ou não lhe trazer alguma lembrança. Em caso negativo, pense em programas de televisão que você viu e que podem ter lhe causado impacto. Você foi ao cinema nesta semana? Determinada cena num filme visto recentemente pode ter lhe aparecido de maneira bizarra durante o sono. Quem sabe um livro que esteja lendo ou uma conversa que teve com um amigo? Os sonhos podem brotar de qualquer semente, por isso reveja detalhadamente sua semana.

2. Meu sonho se passa no passado, presente ou futuro?

Embora a maioria dos sonhos ocorra no presente, alguns podem ser sobre o passado recente, sobre uma vida passada ou ainda sobre o futuro.

Passado recente. Muitas vezes os consulentes me contam sonhos sobre seu passado, particularmente sobre estar outra vez na casa em que passaram a infância. Esses sonhos podem representar questões não resolvidas daquela época. Podem, ainda, representar relacionamentos da vida adulta que os fazem se lembrar da casa dos pais. Por exemplo, se seus pais brigavam muito quando você era pequeno, e agora na vida adulta você e seu parceiro estão brigando muito, é natural que sua mente crie sonhos sobre voltar à casa em que você passou a infância.

Vida passada. Também existe um fenômeno conhecido como sonho de vidas passadas. Esses sonhos normalmente aparecem envoltos num tom sépia, com o castanho-claro se sobrepondo, e com todo mundo usando roupas de uma época particular. Você pode notar uma diferença na arquitetura das casas e dos edifícios ou no tipo e modelo dos carros. Quando as pessoas me contam sonhos desse tipo, eu lhes pergunto o que elas acham que significam antes de sugerir qualquer coisa. Elas invariavelmente respondem que a experiência era tão real que elas sentiam como se tivessem, em algum momento, vivido durante aquele período histórico.

Futuro. Às vezes os sonhos sobre o futuro são classificados como paranormais ou premonitórios. Infelizmente, não sabemos se um sonho é premonitório até que o fato sonhado tenha ou não acontecido. Então, o que você deve fazer se suspeitar que um sonho seu pode se tornar realidade?

Se fosse meu sonho, positivo ou negativo, eu pensaria nas conseqüências daquilo se ocorresse de verdade. Contaria o sonho a alguém íntimo e escreveria sobre ele em meu diário. Às vezes os sonhos com o futuro são maravilhosos, outras vezes horripilantes. Se eu tivesse um sonho horripilante, a primeira coisa que faria seria rezar, porque isso faz parte de mim e é como resolvo problemas na minha vida. Entretanto, se houvesse qualquer coisa que eu pudesse fazer para impedir um fato terrível, com certeza eu o faria. É preciso tomar cuidado, porque você não pode chamar a polícia, o corpo de bombeiros ou o controle de tráfego aéreo cada vez que tiver um sonho assustador. Você seria visto como um lunático ou, pior ainda, como cúmplice!

> **ACHA QUE SEUS SONHOS NÃO TÊM SIGNIFICADO? PENSE OUTRA VEZ...**
>
> - 67% dos norte-americanos já experimentaram *déjà vu* nos sonhos, o que ocorre com mais freqüência entre mulheres do que entre homens.
> - Aproximadamente 3% de todos os nossos sonhos são premonitórios.

É impressionante como os sonhos do futuro são capazes de inspirar nossa criatividade. Você pode chegar a uma fórmula, uma invenção ou um resultado que estava lhe escapando na vida real. Ou uma solução criativa pode vir num *flash*, de uma parte do seu eu com a qual você normalmente não tem contato. Por isso, preste muita atenção quando sonhar com o futuro.

3. Meu sonho era de natureza física, emocional ou espiritual?

Se conseguir identificar com exatidão o plano emocional ou o sentimento predominante em seu sonho, você poderá determinar qual aspecto de sua vida real necessita de mais atenção.

Plano físico. Analisar o sonho do ponto de vista físico é sempre um bom começo na interpretação. Pergunte-se qual a interpretação literal de um tema ou símbolo e verifique se isso se aplica à sua vida neste momento. Lembre-se: você pode ou não reconhecer os vários níveis imediatamente; de qualquer modo, dois bons indicadores de que o sonho pertence ao nível físico são os objetos parecerem sólidos e os fatos serem separados no tempo.

Sonhos físicos podem estar relacionados à saúde. Será que seus sonhos estão tentando lhe chamar a atenção para alguma doença? Por exemplo, se você fica na frente de um espelho cuspindo pedaços de dente, talvez precise ir ao dentista. Se acorda quase sufocando, porque alguém no sonho estava sentado em seu peito, isso pode ser um alerta sobre algum problema com os pulmões ou o coração e um lembrete para procurar o médico. Sonhos físicos também podem estar relacionados a algum problema com o carro, a casa ou o trabalho.

Se sonhar com um pneu furado, procure primeiro o significado físico disso. Antes de sair de casa na manhã seguinte, verifique se os pneus do carro, da bicicleta ou da motocicleta estão vazios ou furados. Se sonhou com uma goteira, verifique antes de mais nada se está tudo bem com o telhado da sua casa. Às vezes o subconsciente tenta lhe mostrar algo que você está ocupado demais para perceber conscientemente. Se sonhou que foi demitido, imediatamente faça o que puder para remediar qualquer problema que estiver tendo no trabalho. Pense em maneiras de corrigir suas ações. Ensaie mentalmente uma conversa com o chefe para virar o jogo a seu favor. Não parta do pressuposto de que os sonhos sejam sempre simbólicos.

Plano emocional. Sonhos emocionais dizem respeito a seus pensamentos e emoções, como desejo, culpa ou tesão. Em sonhos emocionais, os objetos, os acontecimentos e o tempo parecem mais conectados. Perder a própria bolsa ou outro objeto de valor pessoal é um sonho emocional comum, representando a ansiedade em relação à perda de poder, da identidade ou de algo importante na vida da pessoa. Pense no que aquele objeto simboliza para você e na sua reação ao perceber a perda no sonho.

"Em sonhos, entrevemos cenas de uma vida maior que a nossa própria."
Helen Keller

Plano espiritual. Sonhos espirituais geralmente dizem respeito a uma crise moral ou à necessidade de fazer uma escolha entre o que é certo e o que é errado, de acordo com as crenças da pessoa. Esse tipo de sonho pode lhe dar orientações, caso você esteja "encalhado" em algum ponto do caminho e precise mudar a direção de sua vida.

Em geral, os sonhos espirituais diferem radicalmente de todos os outros. Os mais típicos incluem ouvir uma voz e interagir com guias ou mestres. Se você se esforçar para lembrar um sonho espiritual, quando tiver um (e você saberá que teve porque eles normalmente calam fundo na alma), começará a ver com mais clareza como as peças do quebra-cabeça da sua vida se encaixam.

TRABALHO COM O SONHO

UM DIA NOS MEUS SONHOS

Objetivo: avaliar sua capacidade atual de interpretar sonhos

Tente interpretar os sonhos de Shirley e Bruno. Muitas vezes, é mais fácil achar significado nos sonhos de outra pessoa do que nos próprios. Lembre-se: não existe uma única interpretação correta. Shirley estava tendo um sonho recorrente em que um desconhecido invadia sua casa e a encurralava no porão.

Bruno sonhou que estava dirigindo um fusca prateado por uma estrada sinuosa. Por mais que pisasse no freio, ele não funcionava. Ao fazer uma curva perigosa, acabou perdendo o controle do carro.

Símbolos

Como analista de sonhos que atende a consultas num programa de rádio de alcance nacional, ouço uma infinidade de temas repetidos nos sonhos dos consulentes. São aqueles tipos de sonho que a maioria de nós tem uma vez ou outra. Embora os temas a seguir não sejam sexuais em essência, é importante discuti-los neste capítulo porque, mais tarde, eles o ajudarão a entender melhor o contexto em que ocorrem seus sonhos eróticos.

Como já existem muitos dicionários de sonhos, em vez de transformar este capítulo em mais um deles, incluí apenas os temas e símbolos básicos, com mais probabilidade de aparecerem em seus sonhos. Freqüentemente, os símbolos sexuais de seus sonhos estarão dispersos e entremeados a esses símbolos genéricos. Se for capaz de interpretar os símbolos mais comuns isoladamente, você conseguirá decifrar as camadas mais profundas de seu sonho quando os símbolos sexuais e não sexuais aparecerem juntos.

Em qualquer tipo de interpretação de sonhos, pergunte a si mesmo: "Do que isso me lembra?" Esse simples exercício vai lhe ajudar a resolver muitas dúvidas sobre seus sonhos. É importante lembrar que nem eu nem ninguém pode lhe dizer o que seu sonho significa. Os símbolos que aparecem nos sonhos são relevantes apenas para a pessoa que os sonhou, e aquele símbolo específico pode significar algo completamente diferente para outra pessoa. Somente você pode saber o que determinado símbolo representa. A seguir, vou lhe dar somente algumas sugestões de caminhos por onde começar.

Para interpretar um sonho, comece com seu primeiro símbolo. Se não souber qual é, simplesmente analise todos os substantivos e verbos que aparecem no seu diário de sonhos.

CENAS. Identificar e interpretar a localização física de seu sonho sexual é um passo importante para compreender seu contexto.

Colégio. Um sonho que ouço com freqüência é o de estar outra vez no colégio. Uma variação típica é ter faltado às aulas no semestre inteiro e, ao chegar, descobrir que há uma prova marcada para aquele dia. Ou a pessoa está atrasada para o colégio e, quando finalmente chega, descobre que esqueceu aquele trabalho importantíssimo para entregar no dia em cima da mesa da sala de jantar. Tenho certeza de que você tem seus próprios roteiros.

Normalmente esse tipo de sonho está relacionado à ansiedade quanto ao próprio desempenho. Muito provavelmente, o sonho foi provocado por uma situação da vida real que o remete à época em que estava no colégio. Talvez você esteja num período intenso da vida, em que tenha de tomar uma decisão profissional para a qual não está preparado. Essa ansiedade pode inconscientemente remetê-lo aos tempos de colégio, quando você tinha de responder a perguntas que determinavam seu sucesso ou fracasso. Talvez você esteja tentando decidir se deve ou não pedir o divórcio. O colégio também simboliza a época da sua vida em que você teve o primeiro contato com as separações. Talvez você esteja numa enrascada e saiba que, para sair dela, vai precisar usar a cabeça, por isso volte ao colégio durante o sono.

Livros escolares podem representar conhecimento, bem como a necessidade de respostas. Se você não lembra onde colocou seus livros do colégio, talvez esteja numa situação na vida real em que sinta não ter o conhecimento necessário para se sair bem. Talvez esteja com medo de fracassar. O fato de não lembrar lhe diz que, em algum momento, você já soube como achar o lugar dentro de si mesmo onde jaz o conhecimento de que, nesse momento, está sentindo falta. Sempre que sonhar com um colégio, você estará numa situação de aprendizado e provavelmente estará se sentindo um pouco inseguro e ansioso quanto a isso.

Para muitas pessoas, a vida familiar durante os anos escolares era excessivamente difícil. Talvez papai e mamãe não lhe dessem dinheiro suficiente para comprar roupas transadas ou para ir às excursões da escola. Ou talvez eles não estivessem se dando bem, ou estivessem se divorciando. Anos mais tarde, você pode ter um sonho que o leve de volta ao colégio por estar atravessando uma situação parecida na sua própria vida. Talvez não possa comprar aquele novo terno que deseja tanto ou talvez não esteja se dando bem com seu cônjuge, e isso o remeta àqueles anos do colégio, quando você ficava apavorado com a idéia de ver seus pais se separando.

CENA DE SONHO

Namoradinho da escola

Márcia teve este sonho na noite anterior a um reencontro com a turma do colégio para comemorar os 20 anos desde a formatura. Ela estava entusiasmada com a festa, mas apenas porque reencontraria as amigas. Ela nunca havia tido um namorado no colégio, e de fato não havia nenhum rapaz que ela estivesse ansiosa por rever. Mas, na noite anterior ao evento, ela sonhou com um garoto de quem nem sequer se lembrava. Na verdade, ela nunca havia nem falado com ele.

"No sonho, estou de volta à casa onde fui criada. A casa está completamente vazia e estou caminhando do meu quarto até a sala. Por alguma razão desconhecida, esse rapaz, Sérgio, aquele com quem nunca falei, está lá parado, como se fôssemos namorados de longa data. Ele me envolve com os braços e começa a me beijar, correndo as mãos por minhas costas, dizendo meu nome e pressionando a virilha contra a minha. Isso é estranho, porque eu era virgem durante os anos do colégio e, muito embora eu pareça e me sinta como se tivesse voltado àquela época, sei o que estou fazendo e parece algo completamente natural.

"Seja como for, estou usando um conjunto preto de calcinha e sutiã simplesmente fabuloso. O sutiã é daquele tipo que levanta os seios e a calcinha é bem rendada (do jeito que eu gosto), e estou usando saltos bem altos (outra coisa que adoro). Sérgio me pressiona contra a parede (não de maneira rude, mas também não delicadamente — eu diria com firmeza, com força) e me ergue nos braços. Sinto seu membro duro e isso me deixa muito excitada. Ele abaixa o sutiã um pouquinho e coloca meu mamilo e meu seio na boca, enquanto jogo a cabeça para trás. Posso sentir a parede atrás de mim e minhas pernas envolvendo-o.

"Em seguida ele está no chão e estou em cima dele, subindo e descendo, e ele está... Adoro a expressão do seu rosto... Ele é todo meu. Nesse momento e nessa parte de seu corpo, sua existência é inquestionável. Suas mãos seguram meus quadris, mas sou eu que estou no controle. Inclino-me sobre ele e toco seu rosto com os seios, enlouquecendo-o de desejo. Posso sentir que ele começa a gozar, então ele me faz rolar de costas e fico de pernas para o ar. Ele goza sem parar.

"O sentimento predominante durante o sonho é o de estar fazendo algo muito secreto e de me sentir completamente poderosa e sexy. É algo realmente maravilhoso. Mas o esquisito é que não sou assim na vida real. Pelo contrário, sou sexualmente submissa, por isso o sonho todo me parece bastante surpreendente."

SONHOS DE LOUÇA

Por que somos tão obcecados pelo vaso sanitário? De fato, essa peça essencial de qualquer banheiro é também "peça" básica no sonho de muita gente. Se você tem sonhos com o "trono", sugiro explorar estas explanações no contexto de outros símbolos e temas.

- **Desentupimento:** você está esclarecendo e superando um assunto do passado.
- **Transbordamento:** você está sobrecarregado com emoções e experiências difíceis.
- **Banheiro sem porta:** você precisa de mais privacidade.
- **Em público:** você tem se exposto de maneira inadequada.

O fato de Márcia ter tido esse sonho exatamente antes do reencontro com o pessoal do colégio poderia explicar esse tipo de roteiro. No entanto, acredito que não seja algo tão simples, especialmente se levarmos em conta o conteúdo sexual. Nesse sonho, Márcia se sente outra vez como uma adolescente e está desempenhando um papel novo para ela, o da pessoa que toma a iniciativa no sexo e que detém o poder. Isso pode significar que ela está atravessando uma fase em que está aprendendo a se afirmar e, embora ainda se sinta insegura, está no caminho certo para dominar a habilidade de obter o que deseja.

Casas e cômodos. Você provavelmente já teve sonhos passados em várias casas, como aquela em que foi criado, a casa de um amigo ou mesmo uma casa que não reconheça. Talvez não seja exatamente uma casa, e sim uma construção qualquer. Casas representam seu corpo e sua vida. Um típico sonho relacionado ao corpo físico é aquele com uma casa em chamas. Se interpretarmos esse sonho no nível físico, talvez descubramos que você está com febre ou que passou muito calor enquanto dormia. Se sonhar com alguém invadindo sua casa, isso pode simbolizar um microrganismo ou uma doença tentando invadir seu corpo. No nível emocional, alguém invadir sua casa pode significar que você está transando quando no fundo não quer fazê-lo, então a pessoa invadindo sua casa simboliza seu parceiro invadindo seu corpo.

E se a casa do sonho estiver numa tremenda bagunça? Pergunte a si mesmo a função de cada cômodo e, depois, aplique aquilo a seu sonho. Os vasos sanitários estão transbordando? Talvez você precise eliminar algo da sua vida ou da sua dieta. O banheiro geralmente representa a necessidade de eliminar ou limpar algo, como uma situação ou um relacionamento.

Se seu sonho se passa no quarto, pergunte-se para que serve um quarto. Há duas possibilidades: dormir ou fazer amor. Se você está na sala de jantar ou na cozinha, o que lhe vem à mente? Obviamente, sua alimentação. Outra maneira de ver isso seria examinar como você está "se nutrindo" ou sendo "nutrido" pelos demais. O sonho veio à tona porque você tem uma necessidade que não está sendo atendida.

Descer ao porão simboliza descer às bases do próprio eu, ao inconsciente. Quando você desce ao porão, que tende a ser escuro, seu eu verdadeiro está revelando que você não tem consciência do que está sob a superfície e não consegue ver as coisas claramente. O porão pode representar não apenas o que está por baixo, na base de determinado medo, mas também, se você encarar a casa como seu corpo, o que está abaixo da cintura. Nesse caso, o porão simboliza o que está acontecendo em sua sexualidade, enquanto o telhado ou o sótão da casa representariam o que se passa em seu cérebro ou em seus pensamentos.

Estradas. Estradas ou caminhos podem representar a direção que você está tomando na vida, por isso é importante entender as condições dessa jornada. Examine a qualidade do asfalto, verificando também se há obras sendo feitas ou algum pedágio. A estrada do seu sonho tem pista simples, pista dupla ou é uma via expressa? Se você sonha que está dirigindo por uma estrada plana num dia claro, sua vida está estável e desobstruída. Se a estrada é toda acidentada e está em obras, a direção da sua vida também está precisando de conserto; talvez você esteja realizando algumas mudanças que fazem a estrada no seu sonho parecer acidentada. Para você a vida já não é uma planície fácil de atravessar, é preciso esperar que as obras terminem para poder viajar de novo naquela direção.

Você parou no pedágio? Então é hora de pagar! A direção que você escolheu na vida vai exigir que desembolse algum dinheiro. Não espere continuar na mesma estrada sem ter de pagar por isso. Seria bom reexaminar suas metas e a maneira como está conduzindo a vida.

Se está dirigindo numa rodovia, é sinal de que está atravessando uma boa fase: tudo parece transcorrer bem e você vai rapidamente vencendo a distância. Você está seguindo o mapa que traçou? Está prestando atenção às placas? Está dirigindo cuidadosamente, mantendo o carro sob controle? Em caso positivo, você chegará aonde planejava chegar quando, muito tempo atrás, iniciou esta jornada terrestre.

TEMAS. Temas são imagens, linhas de pensamento ou metáforas comuns que aparecem em nossos sonhos. Muitos temas são universais e arquetípicos, como sugeria Jung. Ao interpretar temas, pergunte a si mesmo: "Sobre *o que* é este sonho?".

Água. A água é um elemento comum nos sonhos e pode representar as emoções da pessoa. Se você tiver um sonho com água, preste atenção às condições em que ela se encontra. Está turva ou cristalina? O sonho apresenta um pântano ou um lago? A superfície da água está revolta ou serena? Você pode ver o fundo? O tamanho do curso de água pode indicar o tamanho da situação. Sonhos com o mar, porém, costumam estar mais relacionados à consciência do que às emoções.

Admitindo que a água em seus sonhos represente suas emoções, o que você acha que um lago escuro e turvo representa? Será que você está feliz emocionalmente ou talvez esteja sendo ciumento e fútil? E se não consegue ver o fundo do lago? Talvez esteja alimentando sentimentos profundos num relacionamento emocional, mas se pergunte como isso vai terminar. Se a água está agitada e fria, pode simbolizar um relacionamento repleto de brigas e desconfiança, que já não tem o calor dos primeiros tempos.

E se você estiver se afogando? Em que isso lembra sua vida real? Determinado relacionamento parece sufocá-lo? Talvez a água do seu sonho esteja se escoando. Isso pode significar que seu relacionamento não tem mais a profundidade emocional do passado. Tudo isso são sugestões que devem ser ampliadas e enriquecidas com mais informações. Só você pode dizer o que a água realmente significa em seu sonho.

Carros. Carros representam nosso corpo dentro de um receptáculo, da mesma maneira que nosso espírito está dentro de outro receptáculo – nosso corpo. O carro do seu sonho está capengando ou tinindo de novo? Qual sua aparência? É feio ou bonito? Está precisando de um trato?

Inconscientemente, as respostas a essas perguntas podem revelar como você se sente em relação ao seu corpo e ao estado dele. Carros também podem representar como poderemos chegar aonde queremos na vida, por isso vale a pena examiná-los. O que o carro no seu sonho está lhe mostrando sobre a maneira com que você está se conduzindo até seu destino?

Direção. Direção representa controle. Se tiver um sonho com um carro em movimento, pergunte-se quem é o motorista. É você mesmo ou algum conhecido seu? Se você não está dirigindo seu próprio carro, isso pode significar que não se sente no controle da própria vida. Sua maneira de dirigir é segura ou negligente? Preste atenção aos sonhos em que você dirige com negligência; eles podem indicar que você está se comportando de uma maneira que pode lhe trazer problemas no futuro. Um sonho comum é estar dirigindo por uma estrada à noite ou sob mau tempo, rápido demais para essas condições, e perder o controle numa curva. Esse sonho é um bom indício de que você não está no caminho certo na vida. É preciso desacelerar, porque o sonhador dentro de você, seu eu verdadeiro, sabe que haverá uma situação na vida em que você vai precisar estar no controle.

Sonhos desse tipo também podem ser alertas, especialmente se você estiver dirigindo à noite. À noite não podemos ver claramente, então isso indica que suas ações não estão claras para você. Sonhos que se passam à noite simbolizam o inconsciente. Você não está consciente de como está dirigindo ou se encaminhando até onde quer chegar. Talvez você venha andando sem rumo, agindo de maneira negligente ou sentindo-se fora de controle. Nesse caso, seu sonho está lhe dizendo para voltar à pista correta.

Perseguição. Ser perseguido em sonhos geralmente significa que existe uma situação na vida real da qual você está tentando fugir, provavelmente porque não é capaz de enfrentar os próprios medos. Ao analisar o sonho, examine cuidadosamente seu perseguidor. Suas características o fazem se lembrar de alguém? Como você se sente em relação ao perseguidor? Qual é a distância entre você e ele? Se a pessoa consegue alcançá-lo, talvez os problemas da vida real estejam começando a sufocá-lo. Se você se sente paralisado no sonho, pergunte-se em que sentido pode estar paralisado na vida.

Voar. A maioria das pessoas já sonhou que podia voar. Sonhos de vôo podem ter interpretações positivas e negativas, dependendo de como esteja sua vida no momento. Um sonho de vôo positivo pode significar que você se sente libertado das limitações da vida real, livre para se expressar. A alegria experimentada ao voar no sonho também é semelhante à alegria da expressão sexual; ao voar, você pode estar recordando ou celebrando uma relação sexual prazerosa. Contudo esse tipo de sonho também pode ter associações negativas. Você estava com medo de cair? Seu vôo era perigoso e cheio de riscos? Havia barreiras no seu campo de visão?

Nudez. É comum ter sonhos sobre estar nu em um local inadequado, como uma reunião ou o consultório do dentista. Sonhos centrados na nudez geralmente significam que você se sente exposto ou vulnerável em algum aspecto da vida real. A nudez também pode exprimir abertura ou honestidade. Se você for homem e sonhar que perdeu as calças, talvez esteja preocupado com seu desempenho sexual num relacionamento. Se não houver ninguém para vê-lo nu, talvez você esteja se preocupando sem necessidade, mas se estiver numa sala lotada, seria bom reexaminar por que acha que está tendo um desempenho sexual insuficiente.

Objetos. Depois de lutar para lembrar claramente as cenas e temas de seus sonhos, os objetos podem ser a última coisa em que você vai se fixar. Quando identificar objetos em seus sonhos, preste atenção ao estado deles, à sua cor e ao local em que os encontrou no mundo onírico. Assim como o lado direito do cérebro é considerado o responsável pela criatividade, acredita-se que os objetos ou as pessoas que aparecem no lado direito em um sonho representam seu lado criativo, emocional, feminino ou um assunto mal resolvido com uma mulher. O lado direito também pode representar a consciência. De maneira análoga, assim como se acredita que o lado esquerdo do cérebro controla o raciocínio lógico e analítico, acredita-se que objetos ou pessoas que apareçam no lado esquerdo em um sonho representam seu lado masculino ou um problema mal resolvido com um homem. Objetos que aparecem atrás de você representam seu passado, enquanto os que ficam na sua frente ou na frente de algo representam o futuro. Lembre-se: esses símbolos estão abertos à interpretação de acordo com aquelas três perguntas que você fez sobre seus sonhos e conforme o contexto da história.

Cercas e paredes. Cercas e paredes têm relação com barreiras ou fronteiras que construímos na vida para nos proteger de uma ameaça, real ou não. Quando nossos sonhos contêm esses elementos é sinal de que queremos que algo fique do lado de dentro ou do lado de fora.

Uma abertura. Uma abertura – janela, porta ou fenda, por exemplo – pode representar uma saída, um meio de fuga ou uma oportunidade, seja física ou simbólica.

Um jardim. Um jardim representa aquilo que está na frente, ou seja, o que está por vir na sua vida. Às vezes também pode representar a parte da vida que você dedica ao lazer.

Roupas. Roupas são símbolos dos papéis que desempenhamos. Vestimos roupas diferentes para executar diferentes atividades. Eu, por exemplo, uso *tailleur*, meias finas e sapato de salto para desempenhar o papel da mulher profissional. Quando vou a um jantar romântico, escolho um vestido preto, elegante, e acessórios delicados para desempenhar o papel da mulher charmosa e sedutora. Ausência de roupas num sonho pode indicar o sentimento de vulnerabilidade e exposição.

Cabelo. O cabelo representa seus pensamentos. Se o cabelo ocupa papel central em seu sonho, faça a si mesmo perguntas sobre o estado desse cabelo. Era longo e solto? Ou curto e enrolado? Estava caindo? A cor era inusitada? As respostas a essas perguntas são pistas de como têm sido seus pensamentos ultimamente.

Bicicletas. Bicicletas representam a necessidade de manter o equilíbrio na vida a fim de atingir as próprias metas. Freud diria que, como você tem um selim entre as pernas e balança sobre ele enquanto pedala, isso representa sexo. Entendo o ponto de vista dele, mas se alguma vez na vida você já andou de bicicleta sabe que a tarefa primordial é conquistar o equilíbrio e mantê-lo enquanto pedala. Quando ensinamos crianças a andar de bicicleta, nós as seguramos até que aprendam a manter o equilíbrio sozinhas.

Um poste telefônico. Um poste telefônico representa comunicação, assim como carta, telefone, e-mail, fax ou carteiro.

"Acordei esta manhã com um sonho nos olhos."
Allen Ginsberg

CORES. Todos nós sonhamos em cores. Infelizmente, a cor é a primeira coisa que esquecemos assim que acordamos. Em laboratórios do sono, quando se acordam os participantes durante o sonho e se pede que descrevam o que estavam sonhando, eles invariavelmente falam sobre a cor dos objetos. Se eles voltam a dormir e são acordados cinco minutos depois, a cor não volta a aparecer em suas descrições.

Algumas das primeiras perguntas que faço a meus consulentes dizem respeito às cores de objetos específicos em seus sonhos. As cores, mais do que qualquer outro símbolo, podem me dizer a verdadeira natureza da questão que está provocando o sonho. Meu mestre espiritual favorito, Adano, acreditava que gravitamos na direção de determinadas cores, tanto no universo real quanto no onírico. E mais: não apenas as cores predominantes podem ser interpretadas para que identifiquemos o trauma na vida da pessoa, como também as cores ausentes podem nos ajudar a identificar o que está faltando na vida dela. Sua teoria das cores predominantes e ausentes baseia-se nos chacras (centros de energia do corpo) e nas cores associadas a esses chacras.

O coquetel químico que corre por sua medula espinhal e, posteriormente, dispara a atividade onírica no cérebro tem de atravessar primeiro os chacras. Se tivermos algum tipo de dilema ou trauma bloqueando a energia de algum dos chacras, isso se revelará pela aparição de cores em nossos sonhos. Existem traumas baseados no perigo físico (como sobreviver a um incêndio, estupro ou guerra) e traumas menores baseados em emoções (medo, luto, raiva ou ciúme), como o medo de perder o emprego ou ciúme da nova chefe bonitona do seu namorado. Um amigo psicólogo que trabalha também o lado energético das pessoas explica assim essa diferença: existem traumas com T maiúsculo e traumas com t minúsculo.

Às vezes há combinações de cores nos sonhos que podem modificar o significado. É possível, ainda, que haja uma cor recorrente em seus sonhos e que não esteja listada abaixo. Pergunte-se no que pensa quando olha aquela cor. Você já teve um vestido ou camisa dessa cor? Seus pais por acaso já tiveram roupas, móveis, cortinas ou objetos dessa cor? Continue fazendo-se esse tipo de pergunta até que a luz se acenda.

Quando topar com a resposta certa, você sentirá algo dentro de si, normalmente na área do plexo solar – uma sensação de "Arrá!".

CORES EM VOCÊ

Preste atenção às cores na vida real e nos sonhos; isso vai ajudá-lo a entender melhor o papel delas na composição de seu ser.

Cor	O que representa
Bege	Estar num beco sem saída
Preto	Seu pai ou uma figura paterna
Azul	Decepção
Marrom	Apego; estar demasiadamente apegado a uma pessoa ou coisa
Dourado	Ódio de si mesmo; não estar mantendo a palavra consigo mesmo
Cinza	Trauma pós-natal
Verde	Amargura, ressentimento, inveja ou ciúme
Índigo	Rebeldia; rejeição de uma figura de autoridade
Lilás	Sua aparência
Carmim	Separação ou abandono
Grená	Trauma de parto, como um trauma relacionado a um aborto espontâneo
Laranja	Sexo
Rosa-choque	Traição amorosa
Púrpura	Aceitação de uma figura de autoridade

continua ▷

Cor	O que representa
Vermelho	Mudança de estilo de vida, de casa ou de trabalho
Prata	Trauma relacionado a dinheiro ou perda material
Turquesa	Competição
Branco	Sentimento de incompletude sobre determinada situação; o trauma pode dizer respeito a um dilema moral ou a um relacionamento amoroso que "azedou"
Amarelo	Uma decisão; estar indeciso e receoso

Mãos à obra

Quanto mais detalhes recordar de seus sonhos, mais material terá para trabalhar. O registro contínuo dos sonhos, noite após noite, lhe permitirá receber mensagens claras e completas. E, se você se esforçar para perceber mais detalhes na vida real, também vai afiar sua capacidade de observação durante os sonhos.

Para registrar o sonho de ter sido picado por um percevejo, você pode simplesmente escrever ou gravar: "Fui picado por um percevejo". Mas verá que, depois, será mais fácil entender o significado do sonho se registrá-lo tal qual o vivenciou. "Era um dia límpido de verão, por volta do meio-dia. Sinto como se estivesse em uma cidadezinha do interior. Um grande percevejo, verde-abacate, de patas longas e corpo curto, precipita-se sobre mim, dá alguns vôos rasantes antes de picar meu antebraço esquerdo e – tic! – mete o ferrão. Fiquei surpresa e decepcionada, porque estava vivendo momentos maravilhosos. Estava realmente me divertindo no evento ao ar livre da escola do meu filho. Olhei meu braço e vi que estava vermelho, inchado e parecia quente ao toque."

Viu a diferença que isso pode fazer na interpretação posterior?

Ao interpretar qualquer sonho, decifre os símbolos e, depois, combine-os entre si para extrair o máximo de significado do sonho. Um símbolo pode ser um substantivo, verbo ou adjetivo do sonho documentado, e nem sempre será tão óbvio quanto aqueles que mencionamos aqui. Esforce-se para procurar significado em cada palavra, segundo a relação dela com seus pensamentos e emoções peculiares. Pegue o sonho da picada como exemplo.

"Era um dia (tudo está claro lá fora e eu prefiro o dia à noite) límpido (sem nuvens) de verão (minha estação favorita), por volta do meio-dia (costumo me alimentar a essa hora do dia). Sinto como se estivesse em uma cidadezinha no interior (onde passei um verão quando tinha 6 anos de idade). Um grande percevejo, verde-abacate (feio e assustador), de patas longas e corpo curto (má combinação, assustadora), precipita-se sobre mim (não o vejo chegar), dá alguns vôos rasantes antes de picar meu antebraço esquerdo (eu estava sendo visada e atacada) e – tic! – mete o ferrão. Fiquei surpresa e decepcionada, porque estava vivendo momentos maravilhosos (isso estragou minha diversão). Estava realmente me divertindo no evento ao ar livre (diversão) da escola do meu filho (lugar agradável, a educação é algo positivo). Olhei meu braço e vi que estava vermelho, inchado e parecia quente ao toque (dor, machucado)."

Levando em conta que o sonho se relaciona ao que está acontecendo atualmente na vida da pessoa, vamos combinar os símbolos individuais numa mensagem completa. Para isso, vamos parafrasear o sonho usando a interpretação de cada símbolo (o que está escrito entre parênteses).

"Estou na melhor fase da minha vida: vejo tudo claramente, não há nuvens no céu e tudo me parece resplandecente. Isso me lembra de quando eu era criança e a vida era maravilhosa, nada me preocupava. É uma fase em que devo me alimentar, atender às minhas necessidades. Mas algo que me incomoda aparece de repente, "zumbindo" na minha vida; é feio, assustador, e é óbvio que estou sob seu ataque. Sinto-me ferida e com raiva. Mas tudo isso está ocorrendo para que eu aprenda algo; estou tendo uma lição. Talvez esse seja o primeiro sinal de alerta e preciso cuidar disso antes que fique pior."

No fim das contas, não é um sonho sobre um percevejo. É sobre um problema que a pessoa tem com alguém em sua vida que a está atacando. Ou talvez ela esteja atacando a si mesma — comendo demais ou tendo outro comportamento autodestrutivo. Arriscaria dizer que a pessoa causadora do problema, seja o próprio sonhador ou outro alguém, é de algum modo descrita pelas longas patas e pelo corpo curto.

O processo de interpretação dos sonhos é mais fácil do que muita gente pensa. Refaremos esse processo juntos nos capítulos seguintes.

O passo final na interpretação é determinar a medida que você precisa tomar tendo em vista essa nova percepção sobre si mesmo. Após analisar o sonho, não aja imediatamente. Deixe a poeira baixar e continue a ruminar as coisas em sua mente. Procure outros símbolos nos sonhos durante a semana seguinte e veja se trazem idéias novas ou confirmam as anteriores. Quando sentir que já interpretou tudo que seu sonho tinha a lhe dizer, tome as medidas apropriadas para mudar sua vida real. É este o poder dos sonhos: transformação.

Meu método

Gosto de rever os sonhos de um mês inteiro de uma só vez, porque assim consigo ter uma visão geral da minha vida. Muitas vezes é necessária uma série de quatro sonhos para realmente resolver um problema interno. Contudo, se você estiver apenas começando, recomendo lidar com um sonho de cada vez ou no máximo com todos os sonhos de uma mesma noite. Lembre-se: você pode ter mais de cinco sonhos numa única noite.

Após tantos anos nessa atividade, sou capaz de despertar dentro de um sonho, perceber o que estou sonhando e analisar meu sonho sem precisar sair dele. Mas não lhe recomendo isso, porque absorve a mente e pode impedi-lo de prestar atenção a alguma mensagem importante.

Se perceber que está sonhando, você acabará acordando. Nesse momento de percepção, tente não se mexer, esforçando-se especialmente para manter a cabeça e o pescoço rígidos. Mantenha os olhos fechados e imediatamente retorne à última coisa que lembra do sonho. Vá seguindo o fio da meada na direção daquilo que você acredita ser o início do sonho. Ainda mantendo a cabeça rígida e os olhos fechados, tente alcançar o gravador, movendo apenas o braço, e comece a falar. Você pode fazer isso com o diário também, mas vai ter de abrir os olhos para escrever.

TRABALHO COM O SONHO

GRAVANDO!

Objetivo: oferecer-lhe uma maneira mais espontânea e precisa de documentar sonhos

Até agora você conseguiu anotar um pouco dos seus sonhos no diário. Durante uma semana, tente gravá-los numa fita e reserve o diário para mais tarde reescrever o sonho e, posteriormente, interpretá-lo. Prefiro usar o gravador porque não tenho de acordar completamente para fazer os registros. Na verdade, nem sequer preciso mexer o corpo, o que poderia gerar uma perda de memória, o que acarretaria a revisão do sonho mais tarde. Tudo que preciso fazer é transcrever a fita nas horas vagas, escrevendo o relato em sua integridade. Habituei-me a gravar a data e hora do sonho imediatamente após ligar o gravador, assim posso gravar vários sonhos numa única noite. Se estou ocupada, posso até gravar os sonhos de várias noites e só depois me sentar para transcrevê-los.

TRABALHO COM O SONHO

ASSOCIAÇÕES ERÓTICAS

Objetivo: usar técnicas de livre associação para analisar seus sonhos e tentar relacionar seus pensamentos subconscientes ao sexo.

Selecione um sonho do gravador e tente interpretá-lo usando este método: primeiro, ao transcrever o sonho para o papel, forneça o máximo de detalhes; depois, após cada palavra que tenha significado para você ou evoque suas emoções, anote seus pensamentos relacionados a ela. Tente não se censurar. Na verdade, tente fazer o oposto, rabiscando as primeiras palavras sugestivas ou pensamentos sexuais que lhe vierem à cabeça. Quando completar o trabalho, reescreva o sonho usando somente os pensamentos que anotou sobre cada símbolo. Talvez algumas lacunas precisem ser preenchidas, mas o novo texto certamente lhe trará *insights* sobre sua vida e seus relacionamentos sexuais.

A vantagem do gravador é que você pode, na verdade, ficar num estado de semidormência e gravar o sonho na primeira pessoa. Você volta ao sonho e o vivencia outra vez. Pode dizer facilmente o que sente e o que acontece. Tudo que ocorre faz sentido quando você está dentro do sonho, gravando-o. De manhã, ou no momento em que tiver a oportunidade de ouvir a fita, você descobrirá que ela está cheia de símbolos evidentes e ficará espantado ao perceber como sua mente pode ser criativa. Provavelmente, nem sequer reconhecerá a própria voz.

Decodificando símbolos sexuais

"O amor é a resposta, mas enquanto você espera por ela o sexo levanta algumas boas perguntas."
Woody Allen

A maioria de nós passa incontáveis horas "rebobinando" a própria vida sexual. Em nossa mente, percorremos novamente todos os detalhes de cada experiência e repetimos pedaços da conversa travada antes, durante e depois da transa. Queremos saber se estamos nos satisfazendo o suficiente ou por que não conseguimos fazê-lo; se nos saímos bem ou como podemos nos sair melhor. Sonhos eróticos podem responder não só a essas perguntas como também a outras que, talvez, nunca tenhamos pensado em fazer. Eles nos permitem curar velhas feridas, descobrir os verdadeiros desejos e necessidades sexuais, superar inibições e experimentar coisas que nem cogitaríamos na vida real. Despertar seu subconsciente sexual por meio da interpretação de sonhos pode ser uma excitante forma de autodescoberta. A fim de interpretar nossos sonhos sexuais, precisamos primeiro entender os tipos mais comuns de sonho sexual, tanto eróticos quanto sombrios, e aprender a interpretar seus símbolos.

Curando traumas passados

O ideal seria que todos os nossos sonhos sexuais fossem maravilhosos. No entanto, o mundo onírico também tem seu lado sombrio. Todos nós, sem exceção, temos condicionamentos e vícios. Contudo, examinando o lado sombrio dos sonhos eróticos, podemos ficar "viciados" em algo mais saudável e recondicionar nossa maneira de pensar.

SONHOS COM ESTUPRO. Um estupro significa ser forçado a fazer algo que não se quer. Se você for a vítima num sonho com estupro, isso lhe dará a oportunidade de ver como pode ter sido vitimado no passado e pode lhe permitir curar essas antigas feridas. Se você sonha com um estupro, mas tem certeza absoluta de que não tem nenhum trauma passado, tente descobrir em quais áreas de sua vida você pode estar sendo violentado ou subjugado. Se no sonho você for o agressor, provavelmente está guardando uma mágoa mal resolvida. E se você não é nem a vítima nem o agressor, e sim o espectador, é provável que seu subconsciente esteja lhe possibilitando libertar-se da dor do acontecimento e entender melhor as características que identificam a vítima ou o agressor.

SONHOS DE VERGONHA E CULPA. Quando tomamos atitudes que entram em conflito com nossas crenças sobre o que é certo ou errado, temos sonhos de vergonha e culpa. Se o evento ocorreu quando você era criança, o incidente costuma se repetir em sonhos, e a parte mais jovem de seu eu invariavelmente aparece disfarçada numa criança da mesma idade que você tinha na época. Essa criança pode ser filho, filha, vizinho, aluno ou qualquer outra criança de sua vida. Quando a pessoa é vítima de um trauma, muitas vezes absorve a vergonha de quem abusou dela. A culpa pode nascer de ter mantido um segredo e sentir a necessidade de revelá-lo. Às vezes, somos nós que criamos vergonha e culpa em nossa vida ao trair um parceiro ou executar um ato de natureza sexual contrário a nosso sistema de valores. Nesses casos, devemos usar os sonhos para aprender a nos perdoar.

Todos nós criamos nossa própria realidade. Para criar uma vida livre de conflitos e de acordo com o poder criativo pessoal, não podemos fazer muito drama sobre as coisas. Um drama exagerado pode ser causado por uma culpa real relacionada a algo que vai contra nossos valores ou que não conseguimos esquecer. O sonho a seguir, de meu cliente Eduardo, revela isso claramente.

"Em meu sonho, estou doente na cama e não consigo levantar. Não consigo respirar e sinto que vou morrer sufocado. Assim que vomito, a respiração melhora. Minha doença é causada por possessão demoníaca. Começo a flutuar sobre o quarto e isso é muito doloroso. Minha irmã acorda com todo aquele alvoroço; vôo até ela e pronuncio algo com uma voz perversamente monstruosa – então, do nada, estou curado. A cena muda e agora estou em outro lugar, onde uma mulher cuida de mim porque estou novamente possuído e flutuando. Então uma outra mulher aparece e vôo até ela. O sonho termina com as duas mulheres sentadas uma perto da outra, contemplando-me com a mais serena, bela e amorosa expressão possível. Preciso escolher uma das duas, mas, não consigo."

A culpa e a vergonha com as quais esse homem está lidando revelam-se num sonho em que ele se retrata como um ser doente, monstruoso e possuído pelo demônio, interagindo com uma mulher que havia sido boa para ele e cuidado dele. Cuidar dele significa cuidar dele sexualmente falando. Perceba que não há nenhuma menção de que a irmã estivesse cuidando dele. Embora ele esteja emocionalmente próximo da irmã, fez questão de me dizer que eles não vivem juntos. Estou convencida de que a interpretação freudiana do vôo como um símbolo da ereção aplica-se a esse caso. O vôo (ereção), causado pela possessão demoníaca (sentir-se assolado por sentimentos sexuais que parecem nascer à sua revelia, vindos de uma fonte maligna) e levitar (começar a ter uma ereção) a partir da cama é uma representação simbólica de como ele percebe a própria malignidade. Ele não escolheu uma das mulheres porque sente que não consegue respirar e morrerá sufocado, além do mais sente-se envergonhado de não conseguir ficar com uma única mulher, mesmo que ela seja serena, bela e amorosa.

Sentir que não pode respirar e está morrendo sufocado é uma indicação certeira de que ele se sente asfixiado nos relacionamentos amorosos. As palavras que Eduardo usou – "estou doente na cama" – me dizem que ele se vê como emocional e mentalmente doente na cama (pervertido, distorcido, fora do normal). Quando consegue vomitar (pôr tudo para fora) ou dizer às mulheres com quem está envolvido que se sente sufocado e precisa de liberdade para estar com outras mulheres, sente-se melhor. Note que, quando ele fala numa voz perversamente monstruosa a uma mulher que ama e de quem é próximo (a irmã), fica subitamente curado. Ele tem medo de revelar às mulheres o que sente porque acha que isso seria perverso. O que acontece quando ele finalmente o faz? Fica curado.

Muito embora não haja nada de anormal, ruim, errado ou pervertido na necessidade desse homem de liberdade, ou em seu desejo de explorar a própria sexualidade, seu subconsciente estava programado para pensar de outra maneira. "Perversamente", "possuído pelo demônio" e "monstruoso" são apenas algumas das palavras que as pessoas usam para descrever a culpa e a vergonha que sentem por ter se comportado de uma maneira que acreditam ser errada, com base na programação mental que receberam dos pais, da cultura e da sociedade. Muita gente aparentemente feliz vive atormentada pela vergonha e pela culpa. Lembre-se: estou me referindo ao subconsciente – aos pensamentos dos quais você não necessariamente está ciente quando acordado. O que se torna um obstáculo para sua felicidade e ameaça seu sucesso nasce de seu inconsciente.

CENA DE SONHO

Funcionária padrão

A jovem Bruna está batalhando para se sair bem num ambiente de trabalho competitivo. Seu sonho se relaciona à culpa e à vergonha de usar o sexo como trampolim para o sucesso.

"Entro no escritório de um senhor feio, dono de uma empresa. Sua assessora e a vice-presidente começam a tratar de negócios com ele quando chega uma prostituta, abre o zíper da calça dele e começa a lhe fazer sexo oral. Fico chocada por ela ter chegado durante o expediente e especialmente porque ele estava com duas outras mulheres no escritório. Elas me garantem que isso é normal e que ele faz sempre. Chego então mais perto dele e começo a acariciar seu pênis, sintonizando o ritmo com o sobe-e-desce dos lábios da prostituta. Ele começa a gemer de prazer e manda a prostituta embora. Transamos. Sinto prazer, mas, quando tudo termina, estou enojada e entorpecida. Não acredito que fiz aquilo. Fico brava por ter transado sem proteção, ter-me colocado em risco e, além do mais, traído meu companheiro."

ENTRE LENÇÓIS

Antigamente, em certos círculos gays, havia um "código de lenços" para sinalizar aos demais as próprias preferências. O código era afixado na parede de *sex shops*. Um lenço no bolso de trás esquerdo, por exemplo, significava que o portador era dominante, enquanto um lenço no bolso direito indicava submissão. (Um lenço verde sinalizava que o portador esperava pagamento.)

Bruna não havia dado crédito à sua intuição de que o chefe gostava de estar cercado por mulheres belas e poderosas (a assessora e a vice-presidente) e que ela podia usar essa fraqueza a seu favor. Muito provavelmente, o sonho havia nascido de um pensamento passageiro: se ele contratava mulheres que o faziam sentir-se bem como homem, ela podia tirar partido disso e, talvez, progredir profissional e financeiramente. Então, no sonho, ela chega mais perto e "parte para o ataque". Conscientemente ou não, Bruna acredita ter causado no chefe mais do que uma boa impressão profissional, mas seu subconsciente tem um sistema de crenças que censura os pensamentos dela e cria uma história exagerada, na forma de sonho. O sonho revela como ela se sente sobre continuar com os agrados sexuais. Uma parte dela se sente enojada, entorpecida e brava por não ter usado proteção (segurança profissional) nem ter pensado que se colocaria em risco daquele jeito, incluindo a traição ao companheiro (a outra parte dela que ela ama, com a qual realmente quer estar e com quem nunca compartilharia aquele pensamento passageiro).

"Somente o sonhador pode mudar o sonho."
John Logan

Se, assim como Eduardo ou Bruna, você está se sentindo culpado e envergonhado por uma ação que entra em conflito com sua noção de certo e errado, tome uma destas atitudes:

1. *Deixe de praticar essa ação e perdoe-se.*
2. *Mude suas crenças.*

Mudar as próprias crenças é um processo que às vezes leva anos. Por exemplo, talvez você tenha sido criada para acreditar que o sexo antes do casamento está errado. No entanto, aos 37 anos, sem nenhuma proposta à vista, você apenas quer ter uma relação sexual normal e saudável com o homem que ama. Eis um plano consciente para acelerar seu progresso e alterar seu sistema de valores, a fim de acomodar um crescimento espiritual, pessoal e sexual:

1. *Por um período de seis meses a um ano, grave você mesmo e use CDs ou fitas de auto-ajuda subliminar ou para serem ouvidas durante o sono. (Eu as usei todas as noites durante três anos, trabalhando em diferentes áreas e usando, assim, diferentes fitas.)*
2. *Procure um mestre espiritual (padre, rabino, pastor, xamã, mestre hindu ou guru) para explorar outras crenças.*
3. *Leia livros inspiradores, que a exponham a novas maneiras de pensar.*
4. *Envolva-se em uma comunidade ou um grupo espiritual.*
5. *Perdoe os erros passados, seus ou alheios. Fazendo isso, você poderá se libertar da raiva, da culpa, do ressentimento e do medo.*

A culpa e a vergonha o fazem se sentir indigno. Essa é uma das razões pelas quais pessoas, organizações e governos usam esses sentimentos como ferramentas de manipulação. As três principais "rédeas" usadas para controlar as pessoas são o pecado, o medo e a culpa. Mas, apesar da contínua exposição a mensagens negativas e apesar daqueles que preferem mantê-lo limitado a visões estreitas (pais incluídos), você pode assumir o controle da sua vida. A menos que mude suas crenças sobre si mesmo, acabará sufocado pela dominação dos ideais alheios. Quando isso acontece, você só consegue ver a realidade física e acha que é a única verdade. Fica restrito a esses preconceitos e, quando se dá conta, está longe demais da própria realidade espiritual verdadeira. Por estarem atados a crenças limitadoras, como culpa e vergonha, seus pensamentos ficam estagnados, parados no tempo.

SONHOS DE DOMINAÇÃO E SUBMISSÃO. Nos sonhos de dominação e submissão, encontramos vestígios de poder e brutalidade. Costumo observar isso em sonhos que se referem à polícia, ao exército ou mesmo a algum esporte. No entanto, a verdadeira idéia de dominação e submissão é muitas vezes negada e reprimida. Às vezes, esse tipo de sonho vem disfarçado em diferentes formas de agressão, como espancar alguém, dar pauladas, tiros ou atacar com armas brancas. Com a finalidade de atenuar a violência e incentivar uma coexistência mais pacífica, é importante que esses impulsos sejam direcionados aos sonhos – substitutos inofensivos da expressão física. Mas se você não consegue extravasar por meio dos sonhos, seria interessante procurar outras válvulas de escape para expressar a agressão ou a submissão. As artes cênicas, a literatura e a arte em geral são boas maneiras de expressar essas emoções.

CENA DE SONHO

Brincando com o guarda-florestal

"Sonho que vou a um bosque em busca de sol e ar puro; também quero me aventurar a pintar algumas paisagens naturais. Pinto o dia inteiro, armo a barraca de *camping* e decido ficar acampada pelos próximos dias. Após me banhar nua num riacho, penso que não há problemas em continuar sem roupa porque não há ninguém por perto. Sento-me na frente da fogueira para me secar, vendo o sol se pôr. A nudez me provoca uma sensação estranha, misto de liberdade e inquietação.

"Assim que o sol nasce, sou despertada por passos vigorosos entre os arbustos. Olho para cima e vejo um homem ruivo, um guarda-florestal, parado na minha frente com uma arma na mão. Rispidamente, ele ordena que eu me levante e me identifique. Fico em pé, exatamente como vim ao mundo, e explico que preciso pegar a identidade na mochila. Ele me deixa pegá-la, enquanto lhe conto sobre as pinturas que pretendo fazer.

> Com um largo sorriso, ele diz que cuidará de mim durante minha estadia.
>
> "O guarda-florestal começa a tirar a roupa, dizendo que podemos simplesmente relaxar e nos divertir e, quando o vejo pelado, entendo por que ele sente tanta liberdade na nudez.
>
> "Os únicos ruídos que se ouvem na clareira são as lambidas e chupadas de nossa transa. Ele me penetra e eu me entrego por inteira. Depois nos estendemos pelo chão, completamente relaxados. Ele se dirige até sua mochila e penso que vai se vestir, mas o que ele faz é puxar uma corrente do interior e começar a prendê-la em volta do meu pescoço. Ele me acorrenta ao tronco de um imenso pinheiro, como um animal. Coloca luvas de couro e começa a me espancar. Tento fugir me esgueirando, e ele bate ainda mais forte. Ele me manda ficar ereta e golpeia meu corpo todo. Com lágrimas jorrando pela face, caio de joelhos pedindo que pare. Então ele ordena que me incline e bate outra vez. Puxando-me pelos cabelos – meus cabelos longos, castanhos e cacheados –, ele me força a chupá-lo, lembrando-me de que meu corpo agora pertence a ele. Enfia cada vez mais fundo o membro em minha boca e em seguida me solta, gemendo. Deita-se a meu lado, exausto, e então me toma carinhosamente nos braços, beijando-me as lágrimas. Ao soltar-me, imploro de joelhos para que me chicoteie novamente, pela última vez."

Esse sonho significa que Dóris deve sair agora e comprar correntes e luvas de couro para incrementar a rotina conjugal? Provavelmente não. Sendo Dóris uma advogada corporativa, mãe de duas crianças pequenas, é possível que seu sonho não passe de uma purgação psíquica da qual ela precisava muito. Pelo menos dessa vez, ela não queria ficar com a culpa; a idéia de haver outra pessoa no comando da situação a excitava sobremaneira. Também vale a pena explorar o fato de ela se achar nua em público. Isso pode indicar que algo na vida real a faz sentir-se exposta. Talvez sinta como se precisasse se redimir de algo ou que não está se dedicando o suficiente aos filhos, devido às longas horas passadas no trabalho.

"Os sonhos dizem o que querem dizer, mas não na linguagem diurna."
Gail Godwin

Símbolos

Independentemente de estar interpretando seus próprios sonhos ou os de seu parceiro, é importante entender os símbolos contidos neles. Talvez você nunca tenha notado os símbolos a seguir, mas agora fique de olho! Quando vir algum deles, ou uma combinação deles, utilize as questões listadas no capítulo 3 e escreva as respostas em seu diário de sonhos.

SÍMBOLOS SEXUAIS MASCULINOS. Foi Freud quem cunhou o conceito de símbolo fálico. Alguns deles podem lhe ser familiares, mas outros talvez o surpreendam.

PÊNIS	
Símbolo	Características
Cacto	Comprido e rígido. Associado à palavra *pica* (porque, literalmente, pica), uma designação vulgar para pênis.
Cigarro	Comprido e duro. Acende-se e fica quente. É colocado na boca e "chupado". Símbolo de sexo oral.
Taco de golfe	Comprido e duro. Serve para rolar a bola até um buraco. Rolar lembra o ato de rolar na cama. Além disso, os jogadores de golfe pegam com as duas mãos no "taco", mantendo-o bem perto da virilha.

Cachorro-quente	Preciso mesmo explicar isso? Acho que não!
Rato	Tem um rabo longo e cor de carne, simbolizando o pênis.
Poste de telefone público	Comprido e duro. Talvez você precise falar sobre sexo ou estar conectado.
Toco de árvore	Atarracado e duro, mas incapaz de crescer. Talvez por causa da idade? Será que alguém teve o sexo "cortado" de sua vida? Um toco de árvore também pode simbolizar um problema de impotência.

EJACULAÇÃO

Símbolo	Características
Pistola de cola quente	Comprido e duro, quando pressionado ou acionado jorra um líquido branco pela ponta, o qual é morno.
Fogos de artifício	Associado a calor e explosões, especialmente foguetes, tudo isso é símbolo de ejaculação.
Revólver	O cano comprido e duro nos lembra um pênis. Explode em uma das extremidades.

PENETRAÇÃO

Símbolo	Características
Bastão de beisebol	Comprido e duro. Você o usa para bater na bola e marcar pontos. Se conseguir "marcar pontos" com alguém, terá chances de transar.
Remo	Comprido e duro. Mergulha em algo molhado (a água).
Vareta do nível de óleo	Comprida e dura. Também é mergulhada em algo úmido.
Chave	Você a encaixa num buraco.
Faca	Quinze centímetros de dureza. Você a enfia em alguma coisa.
Chave de fenda	Dura, feita de metal (considerado masculino) e, claro, entra numa fenda.

SEXO ORAL	
Símbolo	Características
Banana	Comprida, com formato de pênis. É colocada na boca.
Vela	Comprida e dura, fica quente e pode ser soprada até que o fogo se apague.
Bomba de chocolate	Comprida, pode ser lambida e é colocada na boca para que se sugue o recheio cremoso.
Flauta	Longa e dura. Lembra um pênis e é acionada com a boca.
Sorvete de casquinha	Tem cobertura cremosa e é chupado.
Pirulito	Comprido e duro. É chupado.

TESTÍCULOS	
Símbolo	Características
Ovos	A forma (oval) lembra a dos testículos, aliás "ovos" é uma gíria para testículos.
Jóias	Valiosas, protegidas. Duras.
Kiwis	Abaloados.
Nozes	Abaloadas.
Pedras	Duras.

ENTRE LENÇÓIS

Você nunca mais vai olhar um abacate do mesmo jeito. A palavra *abacate* deriva da palavra asteca *ahuacatl*, que significa testículo.

TRABALHO COM O SONHO

10 PASSOS PARA UMA TRANSA INESQUECÍVEL

Objetivo: ajudar você e seu parceiro a compartilhar conversas sobre sonhos eróticos e, assim, apimentar a vida a dois

Ao compartilhar sonhos eróticos com o parceiro, é interessante ter à mão uma série de questões para "turbinar" o diálogo. Uma vez que os dois tenham contado seu sonho um ao outro, revezem-se lendo as perguntas abaixo para estimular discussões mais profundas. Não se aventurem por outras perguntas; atenham-se à lista. Como homens e mulheres tendem a ter diferentes dúvidas, medos ou expectativas quanto aos sonhos do parceiro, usar a mesma lista deixa a troca de idéias mais focada e igualitária.

Sugiro que vocês anotem as perguntas em tiras individuais de papel e deixem-nas num cesto, ao lado da cama. De manhã, um de cada vez, pincem aleatoriamente as perguntas do cesto.

- Numa escala de 1 a 10, qual era seu nível de excitação sexual durante o sonho?
- Você teve um orgasmo no sonho ou na vida real?
- Pensando no sonho, você ainda se sente estimulado sexualmente? Em caso positivo, de que maneira? Conte os detalhes (por exemplo, ficar com os mamilos duros).
- Quais aspectos específicos do sonho lhe pareceram sensuais?
- Quais aspectos não o excitaram?
- Se pudesse sonhar com isso de novo, você o faria? Em caso positivo, quais aspectos gostaria de mudar para tornar o sonho mais excitante?
- A experiência sexual de seu sonho era o tipo de experiência que você gostaria de ter na vida real? Quais barreiras, tabus ou sentimentos podem impedi-lo de vivenciar essa fantasia?
- Havia aspectos específicos no sonho que você se sentiria confortável em recriar na vida real?

- Ao acordar, você sentia como se estivesse transando ou voltando a dormir?
- Que tipo de sonho sexual você espera ter na próxima noite?

> ### SERPENTES
>
> Serpentes costumam aparecer em sonhos de homens e mulheres e têm variadas conotações. Podem representar:
> - Um problema intimidador, que você precisa de tato para resolver.
> - Crescimento; as cobras são assustadoras na vida real, mas em sonhos geralmente não parecem tão amedrontadoras.
> - Uma boca envenenada; cobras podem representar alguém com quem você trocou palavras duras ou que tenha se dirigido a você de maneira ríspida.
> - A vida além-túmulo; cobras são associadas à consciência paranormal e ao movimento de um plano espiritual para outro.
> - Relações sexuais; além de serem fálicas, cobras rastejam e penetram.

SÍMBOLOS SEXUAIS FEMININOS. Símbolos sexuais femininos podem não ser tão fáceis de identificar quanto os masculinos. Entretanto, se você usar a imaginação, vai encontrar símbolos para a vagina, os lábios genitais e os seios. Para a vagina, apenas pense em coisas que possam se abrir e nas quais se possa inserir algo. Por exemplo, uma carteira é aberta e o dinheiro é inserido nela. Uma nota de um real tem aproximadamente o tamanho de um pênis. Deu para ver como uma carteira pode ser uma metáfora da vagina?

Vagina. Ao procurar símbolos vaginais em seus sonhos, pense em objetos que possam receber, reter, conter e circundar. Ou seja, toda sorte de receptáculo que possa ser preenchido. Nesse sentido, canais e rios também simbolizam a vagina.

DECODIFICANDO SÍMBOLOS SEXUAIS

Vulva. Também temos símbolos para a vulva, a genitália feminina que consiste em conjuntos externos e internos de lábios. Quando se enche de sangue, a vulva tem uma maneira peculiar de se expandir, como se estivesse se abrindo em botão. Os símbolos a seguir representam órgãos femininos no formato e na função.

VULVA	
Símbolo	Características
Animais pequenos e peludos	Representa a área púbica em geral. Pense num gato – ele gosta de ser roçado e acariciado, e ronrona quando está feliz.
Ostra	Viscosa e carnuda, abre e fecha. Vulva e área vaginal.
Flores	Pétalas se abrindo representam o desabrochar vulvário.
Frutas suculentas	A polpa de algumas frutas, especialmente ameixas e pêssegos, pode representar o desejo de ser "comido".
Gatinho	Pequeno, quentinho e felpudo. Gatos são considerados femininos.

VAGINA	
Símbolo	Características
Garrafa	Alongada e oca; pode ser preenchida com líquidos.
Pão	Tanto um pão de cachorro-quente quanto um pão de hambúrguer cobrem a "carne".
Gruta	Cavidade natural que também pode ser vista como metáfora do útero. Um lugar escuro, úmido, misterioso.
Rosquinhas	Têm um buraco.
Porta	Objeto pelo qual se entra.

continua ▷

Símbolo	Características
Buraco	Um ponto escuro e escondido; um túnel.
Câmara de pneu	Parece uma rosquinha com uma abertura vaginal exagerada.
Bolsa	Abre-se e tem espaço para coisas valiosas. Metáfora do útero ou da vagina.
Túnel de trem	Buraco escuro que uma coisa comprida e dura atravessa impetuosamente.
Tubo	Tem o formato da vagina.
Poço	Orifício profundo e escuro no qual se mergulha algo.

Seios. Assim como os símbolos penianos, símbolos relacionados aos seios são fáceis de identificar. Basta olhar os formatos óbvios.

Útero. Um jardim ou seu solo são em geral uma metáfora do útero. Muitos símbolos do útero derivam de objetos encontrados em jardins e campos ou usados para criar e armazenar coisas. O útero tem seus próprios emblemas, mas às vezes compartilha símbolos com os seios, como frutas grandes e maduras.

SEIOS	
Símbolo	Características
Balões	Têm o formato de seios grandes.
Cocos	Redondos; cheios de água, representando os seios cheios de leite na fase de amamentação.
Faróis	Seios com mamilos eretos.
Melões	Redondos e pendentes, como grandes seios.
Montanhas	Protuberantes.
Laranjas	Pequenas, redondas e firmes, como seios jovens. E o "umbigo" da laranja lembra um mamilo.

ÚTERO	
Símbolo	Características
Forno	Cozinha ou prepara o que está dentro. Representa o útero durante a gravidez ou antes da menstruação.
Vasos	Onde flores ou sementes crescem e depois florescem ou frutificam.
Moranga	Grande e redonda, com sementes dentro.
Sala	Um espaço dentro da casa. Uma casa pode simbolizar onde você (seu corpo ou espírito) vive, e a sala pode representar o útero ou a "sala" dentro do corpo.

Bolsas e mangas

Uma cliente chamada Gina me pediu que lhe explicasse o seguinte sonho:

"Esqueço minha bolsa várias vezes, então estou sempre correndo de volta ao lugar onde a deixei para recuperá-la."

Recordando a interpretação simbólica de perder objetos valiosos, discutida no capítulo 2, podemos facilmente reconhecer que a bolsa pode ser um símbolo da vagina e do útero de Gina. Seu sonho está lhe dizendo que ela está sendo descuidada com alguma parte de si mesma; não tem lhe dado a atenção devida. Ela não tem tomado conta de algo que é valioso para ela. Parece perder muito tempo, sempre tentando recuperar o que deixou para trás. Fica voltando ao passado e está sempre com pressa.

Minha primeira pergunta a Gina foi: "Você sente como se estivesse sem rumo em sua vida amorosa?". Ela admitiu ter se divorciado recentemente e estar saindo com vários homens. No entanto, esses homens não a preenchiam (não enchiam sua "bolsa") como o ex-marido (aquilo que ela tenta recuperar). No sonho, sua mente criou o símbolo perfeito para essas emoções: ela está constantemente pensando no passado, quando era sexualmente satisfeita pelo ex-marido. É uma interpretação simples, mas eu sabia que havia algo mais. Então lhe fiz outra pergunta: "Você sente como se tivesse perdido a identidade, agora que está divorciada?".

Gina me olhou como se tivesse vislumbrado uma verdade inaudita sobre si mesma. Ao responder à pergunta, teve o momento de revelação. De repente, a bolsa não era mais um mero símbolo sexual; em vez disso, adquiriu outro significado. Na vida real, levamos várias formas de identificação na bolsa. A coisa mais importante, aquela que realmente tememos perder, é a nossa identidade. Pergunte a qualquer mulher com o que ela mais se preocuparia se estivesse prestes a perder a bolsa, e ela mencionará a carteira de motorista, o talão de cheques e os cartões de crédito. Tudo o mais é facilmente substituível.

Levando isso em consideração e analisando o sonho de uma perspectiva mais ampla, podemos ver que Gina está apavorada com a idéia de perder as coisas que lhe parecem mais importantes. Primeiro, ela sente falta da realização sexual que o ex-marido lhe proporcionava. Além disso, devido ao divórcio recente, teme perder a identidade e o *status* financeiro. O sonho é resultado de seus medos. Agora que ela entende conscientemente o que acontece dentro de si, tem adotado uma atitude de auto-suficiência e criado uma série de "limites saudáveis" para se sentir protegida. Gina está se tornando uma mulher segura, que toma decisões mais acertadas. E pensar que ela só precisava de um momento de revelação! Para outros pode ser necessário algo mais, dependendo da rede de apoio com que contam – amigos, família, terapeuta. Os sonhos têm uma maneira peculiar de ajudar as pessoas a se libertarem da bagagem emocional.

Muitos anos atrás, tive um cliente, Caio, que estava saindo havia pouco com uma mulher chamada Maria. Ele me disse que havia sonhado estar colhendo grandes mangas suculentas direto do pé. A princípio lhe pareceram bonitas e estava prestes a morder uma delas quando percebeu um monte de bichinhos saindo da manga. Quando sugeri que as frutas podiam simbolizar seios de mulher, ele reconheceu a conexão. Prossegui, sugerindo que a árvore e a fruta podiam representar uma época de colheita para ele. Talvez estivesse se sentindo recompensado pelo trabalho de auto-aperfeiçoamento que havia feito durante vários anos sem um relacionamento sexual e sentisse que agora estava a ponto de alcançar o que queria. Sem dúvida, pegar fruta no pé pode simbolizar o ato de desfrutar uma mulher ou a relação sexual. Para Caio, o trauma ou a crise no sonho assumia a forma de bichos, que representam algo devorando a beleza inicial que ele havia visto em Maria. O que o sonho estava querendo lhe transmitir? Interpretado de maneira simples, esse sonho indica que ele estava preocupado com o que via saindo dessa mulher. Algo feio dentro dela estava emergindo, estragando o que ele originalmente havia achado belo e delicioso. Lembre-se: sonhos podem ter mais de uma interpretação, e o sonhador é o único que pode ter a palavra final sobre a aplicabilidade de determinada explicação.

> *"Vamos nos entregar, então, à interpretação de sonhos...*
> *Ninguém é privilegiado, nem pelo sexo, nem pela idade,*
> *nem pela fortuna ou profissão. O sono se oferece para todos."*
> Sinésio de Cirene

COMPARTILHAMENTO DE SONHOS.

À medida que for trabalhando a interpretação de sonhos, pense em conversar com seu parceiro sobre sonhos eróticos. Entendo que você hesite em falar de amantes imaginários e símbolos penianos com ele em pleno café-da-manhã. Na verdade, talvez você se sinta pouco à vontade para discutir sexo com namorados ou amigos; talvez tenha ficado ligeiramente embaraçado apenas por comprar este livro. Mas acredite em mim: é incrível como o debate de sonhos sexuais pode aumentar a intimidade do casal e revolucionar sua vida sexual. Se vocês dois aprenderem a ouvir e não fazer pressuposições, nem levar pequenas coisas para o lado pessoal, poderão, juntos, aprofundar a confiança mútua e afinar a comunicação – o que será recompensado entre quatro paredes. Quando vocês começarem a perguntar um ao outro sobre os símbolos que aparecem em seus sonhos, entenderão melhor a atitude do parceiro em relação à vida.

Dividir sonhos eróticos com o parceiro é uma experiência sagrada, que aumenta a compaixão, a intimidade e a empatia. É importante reservar hora e lugar específicos para isso, de maneira que os sonhos de ambos sejam tratados com toda a reverência. Não riam do sonho alheio, nem ajam fazendo críticas. Vocês estarão revelando verdades profundas sobre seu eu interior, o que pode criar uma atmosfera de confiança maior do que qualquer outra que já tenham vivenciado com outros parceiros. Vocês podem fazer da revelação de sonhos uma parte especial da vida a dois.

Os sonhos vão ajudá-los a afinar a sintonia em aspectos particulares do relacionamento nos quais possa haver mal-entendidos. Ruídos de comunicação podem prejudicar seriamente os relacionamentos íntimos. Ao prestar atenção naquilo que os sonhos do outro estão revelando sobre suas inseguranças pessoais, vocês podem aumentar a confiança – mútua e individual – na vida íntima. Com essa confiança, poderão viver e dividir experiências similares um com o outro também fora da cama.

TRABALHO COM O SONHO

UM VIAGRA PARA OS SONHOS

Objetivo: Incentivar seu parceiro a ter sonhos contendo símbolos sexuais ou sonhos eróticos explícitos

DECODIFICANDO SÍMBOLOS SEXUAIS

Faça essa experiência quando você e seu parceiro tiverem alguns dias livres. Sugiro fazê-la num fim de semana, quando não precisarão acordar cedo. Durante esse exercício, você precisará ficar acordado(a) por pelo menos uma hora e meia enquanto seu parceiro dorme. Durante o dia, diga a ele(a) que está planejando fazer uma experiência onírica especial e peça-lhe que se concentre em lembrar os sonhos dessa noite. Como parte do experimento misterioso, sugira a seu parceiro que verbalize o desejo de ter um sonho fácil de entender. Incentive-o(a) a escrever algo que expresse esse desejo e colocar debaixo do travesseiro.

Antes de se deitar, coloque uma caneta e um caderninho próximo ao lado dele(a) da cama. Coloque, também, uma pequena lanterna para que você possa registrar facilmente o sonho durante a noite. Deixe seu parceiro dormir enquanto você permanece acordado(a). Quando tiver certeza de que ele(a) adormeceu profundamente, com muita delicadeza coloque a mão no peito dele(a) e roce bem de leve os mamilos. Os mamilos são zonas erógenas tanto para homens quanto para mulheres, por isso o exercício funciona com os dois sexos. Para não acordá-lo(a), faça apenas um leve estímulo. Quanto mais leve for o sono dele(a), mais delicada deve ser a carícia. Se ele(a) tiver sono pesado, você pode se aventurar mais ao sul e fazer também alguns agrados genitais. Pare imediatamente se perceber a menor reação; espere cerca de um minuto e volte às carícias de maneira ainda mais delicada. Se eventualmente acordá-lo(a), você terá algumas opções:

1. *Esperar que ele(a) volte a dormir e começar tudo de novo.*
2. *Tentar outra noite.*
3. *Aproveitar que ele(a) acordou e continuar com carícias mais vigorosas!*

Enquanto estiver estimulando seu(sua) parceiro(a), busque em suas pálpebras sinais de REM. Isso pode demorar até noventa minutos, portanto seja paciente. Se os olhos estiverem se movimentando rapidamente sob as pálpebras, é um indício seguro de atividade onírica. Deixe-o(a) sonhar um pouco. Você pode finalizar a experiência nesse ponto e acordá-lo(a) delicadamente, dizendo em voz baixa, suave e tranqüilizadora: "Amor, você estava sonhando; lembra-se do que era?". Registre o sonho dele(a). Se ele(a) ainda se lembrar do sonho pela manhã, peça que complete com detalhes o que você eventualmente tenha omitido. Em seguida, veja se aparece algum dos símbolos sexuais listados neste capítulo. Talvez ele(a) tenha tido até um sonho erótico completo!

5

Sonhos de homem, sonhos de mulher

"O sonho é um mergulho noturno, um mergulho sem roupa, numa piscina de imagens e sentimentos."
James Hillman

Ele dormiu, ela dormiu

"Estou caminhando por um parque lotado numa grande cidade que não reconheço. A um canto, um grupo de homens joga vôlei numa quadra de areia. Olho naquela direção e vejo meu (minha) ex-namorado(a) inclinado(a) sobre uma bicicleta, enchendo o pneu traseiro. Não consigo ver o rosto, mas reconheço a forma e o movimento do corpo. Ando até lá e me lanço sobre ele(a) num longo e delicioso beijo. Quando abro os olhos, percebo que na verdade havia beijado um(a) desconhecido(a)! A pessoa hesita por um momento, mas, logo em seguida, dá um passo à frente e escorrega a mão por minha calça. Continuamos a nos apalpar e transamos sob uma árvore perto da quadra de vôlei."

ENTRE LENÇÓIS

- Sexo é o principal tema em 12% dos sonhos masculinos, contra 4% dos femininos. Esses números combinam com os modelos e a freqüência de devaneios revelados por homens e mulheres.

- Em cerca de 93% de seus sonhos eróticos, os homens estão participando do sexo, e em 7% estão observando. Mulheres, por sua vez, participam dos sonhos eróticos apenas 68% das vezes, sendo observadoras em 32% das ocorrências.
- Normalmente, os homens têm pelo menos um sonho erótico a cada duas noites.

O sonho relatado pertence a um homem ou a uma mulher? Veja este outro.

"Estou dentro de uma casa que parece igualzinha à minha, exceto pelo fato de estar tudo – o chão, as paredes, os armários – pintado de um branco faiscante. Subo as escadas e começo a olhar em cada cômodo tentando entender a situação. Quando entro no quarto, vejo meu (minha) parceiro(a) de pé ao lado da cama, completamente nu(a). A princípio não reconheço a pessoa que está com ele(a), mas, ao me aproximar, vejo os cabelos castanhos e os olhos verdes profundos do(a) nosso(a) contador(a). Afasto-me e observo o desenrolar da cena: em tom mecânico, meu (minha) parceiro(a) dá instruções sexuais explícitas ao (à) contador(a). Ele(a) lhe faz uma série de perguntas, tais como: "Você não tem medo de seu (sua) parceiro(a) descobrir tudo?" ou "A que horas ele(a) chega?", mas a única resposta é um monótono: 'Para a esquerda, mude a posição...'".

Se você achou que o primeiro sonho era de um homem e o segundo de uma mulher, acertou em cheio. O conteúdo e os temas dos sonhos masculinos e femininos vêm mudando com o decorrer dos anos, conforme nosso consciente coletivo também se altera. Hoje, homens e mulheres compartilham responsabilidades parecidas no que se refere a carreira, criação de filhos e tarefas domésticas. Conseqüentemente, homens e mulheres do século XXI tendem a sonhar com as mesmas coisas. Não somos como nossos pais, tampouco nossos filhos serão como nós. Eles vivem num mundo de valores diferentes, tecnologia em constante mutação e música distinta da nossa, para mencionar apenas algumas diferenças.

> ### ENTRE LENÇÓIS
> - Em sonhos não sexuais, homens tendem a sonhar mais com outros homens, enquanto mulheres sonham igualmente com os dois gêneros.
> - De acordo com estatísticas de laboratório, o sonho de ter várias amantes é um dos mais comuns entre os homens.

Apesar disso, embora os tempos tenham mudado, não se pode negar que homens e mulheres ainda são muito diferentes. Ainda temos *hobbies* distintos, diversos métodos de comunicação e diferentes fantasias, desejos e necessidades sexuais, como os dois sonhos anteriores demonstram. Ambos são eróticos, mas as cenas, os personagens e os detalhes são completamente diferentes. Ao longo deste capítulo, você entenderá por que o primeiro sonho é masculino e o segundo feminino.

SONHOS DE HOMENS. Os sonhos eróticos dos homens normalmente não são experiências românticas ou emocionais. Eles costumam sonhar com ex-namoradas ou ex-esposas, mas normalmente não porque tenham uma fantasia romântica com elas, e sim porque eram excepcionalmente boas de cama. Aliás, eles sonham com ex-parceiras mesmo quando estão felizes no relacionamento atual. Isso pode ocorrer porque não se sentem tão estimulados do ponto de vista sexual quanto ficavam com a ex. Esse tipo de situação pode levar ao sonho voltado à realização de desejos, já mencionado aqui.

- *Homens tendem a sonhar com ambientes desconhecidos ou ao ar livre.*
- *Homens sonham estar dentro de carros mais freqüentemente que mulheres.*

SONHOS ERÓTICOS

- *Homens têm sonhos que incluem situações agressivas, como lutas, brigas e competições.*
- *Problemas ou itens mecânicos aparecem nos sonhos masculinos.*
- *Sonhos eróticos masculinos em geral incluem mulheres desconhecidas.*
- *Os homens são os protagonistas de seus sonhos eróticos.*

> ### ENTRE LENÇÓIS
> - Mulheres tendem a lembrar os sonhos com mais freqüência e mais detalhes que os homens.
> - As mulheres se lembram mais das cores em seus sonhos que os homens.

Os meninos começam a ter sonhos eróticos explícitos antes das meninas. Eles chegam ao ápice sexual por volta dos 18 anos, época em que estão cercados de garotas – na vida real ou na mídia – usando calças justíssimas, blusas coladas ao corpo e mostrando muito mais do que escondendo. Como os garotos em geral não têm uma válvula de escape para toda essa energia sexual, além da masturbação e da poluição noturna (os chamados "sonhos molhados"), tendem a ter sonhos eróticos mais cedo que as moças.

SONHOS DE MULHERES. As mulheres estão mais inclinadas aos sonhos sensuais simbólicos do que aos explicitamente sexuais. Quando uma mulher se sente sexualmente excitada num sonho, em geral expressa isso pela sensação de estar voando ou planando bem alto. É comum elas sonharem em fazer amor com alguém que conheceram no passado ou com quem estejam atualmente. Tais sonhos tendem a ser românticos ou até mesmo doces, com inúmeros beijos e afagos. Quando não estão satisfeitas do ponto de vista emocional e sexual, as mulheres costumam sonhar que estão procurando algo, como um objeto desaparecido ou mesmo um veículo perdido.

- *Sonhos femininos tendem a se passar em ambientes fechados, dentro de casas e em cenários domésticos.*
- *Sonhos femininos têm natureza mais emocional e freqüentemente se relacionam a conversas e sentimentos.*
- *As mulheres tendem a sonhar que estão sendo ameaçadas ou vitimadas mais do que os homens.*
- *Mulheres sonham que estão transando com pessoas conhecidas.*
- *Tipicamente, as mulheres não são as protagonistas de seus sonhos eróticos. Costumam sonhar que outras pessoas estão transando e elas estão testemunhando a cena como meras observadoras.*

Lembre-se, é claro, de que os temas e objetos típicos dos sonhos masculinos e femininos são apenas tendências. Mulheres certamente têm sonhos que se passam ao ar livre e envolvem situações competitivas, assim como homens podem sonhar com casas e pessoas familiares. As idéias mencionadas aqui não pretendem promover estereótipos, e sim fornecer indícios para uma melhor interpretação.

CENA DE SONHO

Fogo!

Esse sonho envolve um bombeiro com quem Júlia costumava falar por telefone, mas que nunca havia visto pessoalmente. Na verdade, ele havia se mudado da cidade antes de eles marcarem um primeiro encontro.

"Nesse sonho, que tive logo depois da data marcada para nosso primeiro encontro, encontramo-nos numa aula de ioga, exatamente como havíamos combinado. Mas, no sonho, quando começamos a fazer a saudação ao sol, todos os alunos evaporam no ar e fico sozinha com ele.

SONHOS ERÓTICOS

Continuamos o alongamento, mas logo percebo que sou a única que está se mexendo, e ele agora começou a se aproximar de mim.

"Posso ouvir sua voz, exatamente igual a quando ele me telefonava. Fala comigo de maneira muito suave e, enquanto me inclino e me alongo, posso sentir sua mão percorrendo minhas pernas e meus quadris, minhas laterais e costas. Quase posso sentir seu toque, bem lento e cuidadoso. Tudo parece durar horas e é inacreditavelmente real. Embora esteja sonhando, digo a mim mesma: 'Isso não pode estar acontecendo; ele está do outro lado do mundo'.

"No momento seguinte, não estamos mais na aula de ioga, e sim num parque perto do meu apartamento. Estou deitada de costas vendo seu rosto sobre o meu, quando percebo que ele está me penetrando. Fecho os olhos de felicidade e entrega. Ele me beija no pescoço e desce para os seios — pressionando um contra o outro e sugando os mamilos. Simplesmente adoro aquela sensação. O sonho continua por muito tempo. Ele é tão delicado e amável, porém forte e poderoso. Durante o sonho, sinto como se nos revezássemos 'atendendo' um ao outro. Ora sinto que sou sua serva, ora que ele é meu servo. Mas, perto do fim, sinto-me completamente entregue, minhas pernas estendidas e seu peito descansando sobre o meu. Nossos corpos estão entrelaçados e, pela primeira vez na vida, tenho um orgasmo durante o sono. Chamo seu nome várias vezes. Tudo parece tão real que chego a acordar com o som de minha própria voz. Quando abro os olhos sinto-me completamente satisfeita por termos de fato consumado aquele encontro."

"Se o sonho é a tradução da vida real, a vida real também é a tradução do sonho."
René Magritte

Polução noturna

Tanto homens quanto mulheres têm sonhos eróticos e acordam excitados ou mesmo tendo um orgasmo. Eu estava no último ano do colégio quando tive minha primeira aula de psicologia; também foi nesse ano que experimentei o primeiro orgasmo durante o sono. Secretamente, perguntava-me o que tinha acontecido e se eu era normal. Aproveitei a oportunidade durante uma das aulas de psicologia, em que estávamos discutindo sonhos, e perguntei se as mulheres tinham algo equivalente à polução noturna masculina. Muitos ergueram o olhar, mas o importante é que tive minha dúvida solucionada e concluí, aliviada, que era normal. Quando vejo essa experiência em retrospectiva, o que me parece mais interessante é que, antes daquele sonho, eu nunca havia tido um orgasmo na vida real. Depois, quando estava casada, parei de ter orgasmos nos sonhos. Eles voltaram quando me abstive de sexo devido a complicações durante o terceiro trimestre da gravidez. Ter um orgasmo no sonho é uma maneira que o corpo encontra para liberar estresse e desejos reprimidos.

Polução noturna não acontece apenas na adolescência. Sei de um homem que tem 40 e poucos anos e teve polução noturna a vida inteira. Ele tinha sonhos desse tipo independentemente de estar casado, sozinho ou com amantes esporádicas. Vivi, porém, com um homem de 19 anos até ele completar 25, e nem uma única vez encontrei sinais de entusiasmos noturnos nos lençóis. Talvez ele estivesse satisfeito com nossas relações sexuais ou seu limiar de excitação fosse mais difícil de ser atingido do que o de outros homens. Obviamente, esses exemplos são casos extremos, mas é importante ressaltar que ambos são normais; cada um de nós é um indivíduo único, com comportamentos sexuais incomparáveis.

A maioria das pessoas fica surpresa quando descobre que muitos dos sonhos eróticos que lhe dão *insights* sobre a própria vida resumem-se, no fim das contas, a conflitos internos entre masculinidade e feminilidade. Equilibrar nosso lado masculino e feminino é uma batalha que às vezes travamos acordados, mas que em geral se desenrola inconscientemente, no mundo dos sonhos. Ao examinar e interpretar seus sonhos eróticos, pergunte-se sobre o possível relacionamento com seus lados masculino e feminino.

CENA DE SONHO

Encontro de sereias

Diretamente do diário de sonhos de Michele: "Eu estava quase no segundo ano da faculdade quando sonhei que tinha ido nadar com uma turma que não via há tempos; na verdade, eles não eram meus amigos, apenas garotos e garotas com quem eu tinha estudado no colégio. Há uma menina, Giovana, com enormes seios e pele de alabastro. Ela é muito pálida e usa sempre umas blusas tão decotadas que você fica com a impressão de que os figurinistas de filmes épicos do século XVIII se inspiraram no busto dela.

"Ela é exatamente meu oposto: alta, branquinha, peituda e muito, muito calada. Eu, contudo, mal chego a um metro e meio, sou morena, chata como uma tábua de passar roupa e tagarela como um papagaio. Nunca havia tido tendências lésbicas, mas, com nossas diferenças tão gritantes, e com a estatura marcante de Giovana, nada mais natural que meu sonho se centrasse nela.

"Lembro-me de darmos uma longa caminhada na escuridão até um lago maravilhoso, com árvores opulentas e chorões mergulhando os ramos na água. Folhas de lótus bóiam na superfície e vaga-lumes piscam. Não me surpreenderia se os duendes da floresta começassem a dançar à nossa

> volta. A atmosfera do sonho, aliás, parece tão endiabrada quanto um duende.
>
> "Ao chegar ao lago, começamos a nos despir levianamente. A maior parte da turma é de mulheres, umas cinco ou seis, e há cerca de três rapazes indistintos. Na verdade, nem sequer me lembro dos rapazes, só sei que havia alguns lá, flanando nas redondezas.
>
> "Estamos totalmente desinibidos e muitos de nós pulam diretamente na água, enquanto outros ficam na margem, relutando a entrar. Nado direto na direção de Giovana. Ela bóia languidamente, enquanto nado com estardalhaço; conversamos sobre nosso corpo e ela elogia minha pele bronzeada e meu porte atlético. Ela diz que quer me examinar e mergulha por baixo de mim. Quando sobe para respirar, fica atrás de mim. Sinto os seios dela contra minhas costas e seus braços me circundando; viro de frente e começamos a nos acariciar. Trocamos lambidas e beijos, tocamos os seios uma da outra e mergulhamos para tocar o corpo uma da outra debaixo d'água. Algumas outras garotas juntam-se a nós, mas estou concentrada em Giovana. Afasto-me dessas garotas que estão tentando chamar minha atenção e viro o rosto de Giovana na minha direção. Começamos, literalmente, a nos devorar (se não fosse um sonho, eu teria acordado toda arranhada). Ainda estou obcecada com seus seios, mas ela mergulha e começa a me lamber e beijar entre as pernas. Ela se entrega totalmente à tarefa, enquanto observo, admirada, este mundo onírico. Não sei como fizemos isso, boiando na água o tempo todo, mas acho que acordei quase gozando."

Uma típica molecona, Michele parece claramente interessada em acolher seu lado mais feminino, encarnado no sonho pela personagem Giovana.

> ### ENTRE LENÇÓIS
> - Homens que meditam relatam ser capazes de sustentar ereções por períodos mais longos do que homens que não meditam, e mulheres que meditam dizem que podem aumentar a duração e a freqüência dos orgasmos.
> - O Instituto Kinsey estima que 40% de todas as mulheres já tiveram pelo menos um sonho molhado, sendo a ocorrência mais alta entre mulheres de 40 anos.
> - Mulheres tendem a sonhar com romance emocional, enquanto homens tendem a sonhar com mulheres desinibidas, que tomam a iniciativa e estão sempre dispostas a experimentar de tudo!

Quando *anima* e *animus* se encontram

Carl Jung cunhou os termos *anima* e *animus* para descrever os lados feminino e masculino de cada um de nós. *Anima* representa o elemento feminino do subconsciente masculino, e *animus* o elemento masculino dentro do subconsciente feminino. Para levar uma vida completa e saudável, precisamos ter os dois lados, masculino e feminino. Enquanto lutamos para nos aproximar de nosso Eu Superior, precisamos reconhecer e tentar alcançar o equilíbrio entre esses dois componentes de nosso eu.

Conscientemente, homens e mulheres não se sentem à vontade para expressar demais as características do sexo oposto. Quando não conseguimos aceitar determinada parte de nosso lado feminino ou masculino, tendemos a empurrar essas características para nosso subconsciente e, então, projetá-las em amantes oníricos. Mas as mulheres precisam aceitar as suas características consideradas masculinas, tais como força, coragem, altivez e dignidade. Por sua vez, os homens precisam aceitar suas características femininas, tais como doçura, compaixão, receptividade e altruísmo.

Um dos nossos objetivos na vida é equilibrar esses aspectos duais de masculinidade e feminilidade. Essas dualidades estão em eterno embate, uma tentando se sobrepor à outra. Imagine uma gangorra com as características masculinas de um lado e as femininas de outro. A idéia é conquistar o equilíbrio de maneira prazerosa, subindo e descendo, assumindo ora um papel mais feminino, ora um mais masculino. Não tem graça nenhuma ficar parado em cima ou embaixo quando se está numa gangorra. Divertido mesmo é tentar ficar no meio, naquele precário equilíbrio.

Uma das representações mais famosas dessa dualidade é o milenar símbolo chinês do yin e yang. Tal símbolo é formado por duas gotas fundidas cujas extremidades se tocam. A metade branca representa a feminilidade e contém um olho negro, e a metade negra representa a masculinidade e contém um olho branco. O fato de cada metade conter um olho da cor da outra representa a interconexão entre o feminino e o masculino. E o círculo em volta do símbolo mostra que os dois lados formam uma unidade. A polaridade feminina, ou yin, é uma energia suave, receptiva e voltada para dentro, que puxa e atrai aquilo que deseja. A energia feminina tem relação com *ser*. É uma energia sensível, atenciosa, espiritual, acolhedora, materna e compassiva. Com sua energia yin, você pode atrair aquilo que não tem. Assim como as mulheres têm aspectos femininos e masculinos, os homens também têm os seus. Em geral, homens que negam sua natureza feminina sonham em estar com várias mulheres ao mesmo tempo.

COMO ENCONTRAR O EQUILÍBRIO. Uma ouvinte da rádio, Léia, me mandou a seguinte mensagem por e-mail: "Sonho com meu ex-marido desde que nos divorciamos, sete anos atrás. Na maioria das vezes, o sonho começa com a gente conversando sobre o que aconteceu desde que nos vimos pela última vez. E sempre termina com nós dois juntos de novo na cama. Casei-me de novo, amo meu marido e meus dois lindos filhos. Por que não consigo parar de sonhar com meu ex?".

Na verdade, a ouvinte não me contou nenhum sonho específico, então não havia símbolos específicos a interpretar. Todavia, tendo em vista que o ex-marido e o marido atual são diferentes partes dela mesma, perguntei-lhe sobre cada um deles. Ela descreveu o ex como um homem controlador, colérico, ciumento e valentão. Entretanto, o marido atual era atencioso, calmo, estável e passivo. O sonho de Léia indica que ela está infeliz porque ainda não encontrou o equilíbrio entre suas partes feminina e masculina. Para sermos seres humanos felizes e realizados, as energias da masculinidade e da feminilidade precisam estar equilibradas dentro de nós.

"Num sonho perturbado, coisas e formas comuns e inofensivas por natureza infligem um terror de angústia."
Samuel Taylor Coleridge

A FEMINILIDADE DOS HOMENS. O sonho de Daniel é um bom exemplo de um homem que subconscientemente deseja se unir à sua feminilidade, mas não sabe como fazê-lo.

"Estou transando com uma mulher e curtindo de verdade, mas, cada vez que olho seu rosto, é um rosto masculino num corpo de mulher. Esse sonho se repete inúmeras vezes. Fico confuso porque não sou gay; nunca pensei em transar com outro homem, nem desejei fazê-lo."

Nesse caso, o fato de Daniel estar transando com uma mulher representa seu lado feminino, e ele está chocado e confuso por amar esse aspecto de si mesmo. Em outras palavras, ele já ama seu eu feminino, mas está apavorado com a idéia de haver algo de estranho ou errado nisso. Na vida real, Daniel é um homem gentil, compassivo e criativo, que sabe expressar todas as suas outras qualidades espirituais. Quanto mais ele for capaz de aceitar seus aspectos femininos, mais rapidamente os sonhos cessarão. O fato de ele não conhecer a mulher com quem está transando mostra que não tem consciência de seu lado feminino.

Daniel compartilhou comigo outro sonho sobre feminilidade e masculinidade que culminou numa sessão de masturbação. Ao acordar, tudo que lembrava era estar transando com duas mulheres ao mesmo tempo. Ele não se recordava de ter se masturbado até a esposa lhe dizer que o havia flagrado no ato, mas não havia se preocupado em acordá-lo. Se Daniel conseguisse lembrar detalhes específicos das mulheres no sonho, saberíamos as características femininas que ele mais aprecia em si mesmo.

A MASCULINIDADE DAS MULHERES.

O sonho a seguir veio de uma ouvinte da rádio, Vera, que deseja muito entrar em contato com suas características masculinas. Vera tem o sonho recorrente de perder o marido. Os sonhos variam no que se refere a cenário, circunstâncias e personagens, mas o final é sempre o mesmo: ela perde o marido e não consegue encontrá-lo.

Segundo minha interpretação, o sonho de Vera significa que ela tem medo de se perder ou de ficar perdida na vida e não encontrar o próprio caminho. Ela me contou que recentemente teve de tomar uma decisão difícil em sua profissão. No sonho, o marido representa a parte masculina dela mesma. Ela não parece capaz de encontrar as características masculinas de que necessita para mostrar a cara ao mundo e deixar nele sua marca.

O namorado de Alice, Davi, terminou com ela após dois anos de namoro e conversas sobre casamento. Alice sonhou que suas duas melhores amigas, Gina e Kelly, haviam dormido com seu atualmente ex-namorado. No sonho, na presença de Kelly, Gina confessa a Alice ter dormido com Davi. Alice não se incomoda com a confissão e perdoa Gina, dando-lhe um abraço. Mas Kelly fica brava e grita: "Eu jamais faria isso com você!". Poucos dias depois, Alice descobre que Kelly também havia dormido com Davi. Fica arrasada pelo fato de a amiga ter feito uma coisa dessas e, depois, mentido para evitar que ela suspeitasse da verdade.

As duas amigas do sonho são, na verdade, aspectos diferentes de Alice. Gina lhe conta que dormiu com Davi e sente remorso por ter feito isso. Aceitando a confissão da amiga no sonho, o subconsciente de Alice está mostrando que ela perdoa a si mesma por ter dormido com Davi. Kelly, contudo, representa a parte de Alice que sabia o tempo todo que aquele relacionamento não terminaria em casamento. Alice está arrasada pelo fim do namoro e, no fundo, não perdoou a si mesma, assim como não perdoa Kelly no sonho. Na verdade, não era Kelly mentindo a Alice, e sim Alice mentindo a si mesma. Ela ainda não tirou Davi do pensamento.

O sonho de Alice só diz respeito a ela mesma. A única razão pela qual Gina e Kelly aparecem é porque Alice não tem consciência de como seus sentimentos estão divididos. Uma parte dela sente-se em paz com o relacionamento e a ruptura e está disposta a perdoar, mas a outra parte não está em paz, sente-se arrasada e com raiva. Uma parte representa características femininas positivas e equilibradas – perdão e amor –, enquanto a outra representa características femininas negativas e desequilibradas – emotividade exagerada e tendência a fazer o papel de vítima, sem o discernimento apropriado.

Além disso, o sonho de Alice indica que a única coisa que ela ainda não conseguiu foi estar num relacionamento consciente, compromissado e igualitário. Não há nada de errado em querer ter um parceiro. Sua feminilidade anseia ser completada pelo sexo oposto. Ao mesmo tempo, seu lado masculino deseja com urgência ser completado pelo lado feminino de um homem. Ela é uma mulher atraente, inteligente, divertida e espiritualmente madura, que costuma namorar firme e teve até hoje alguns parceiros sexuais. Já se inscreveu em vários serviços de encontros pela internet e freqüentou *workshops* sobre relacionamentos pessoais, mas ainda não tem nada em vista.

TRABALHO COM O SONHO

ADEUS, PAPAI-E-MAMÃE

Objetivo: estimular a criatividade sexual

Vamos encarar os fatos: se você quer uma bela transa, tem de ser criativo. Homens e mulheres têm opiniões diferentes sobre o que constitui uma bela transa, mas todos sabemos que é isso o que queremos. Como já comentamos, uma das queixas mais comuns entre os homens é que suas parceiras são inibidas demais ou pouco audaciosas. Mas como você pode deixar o marasmo para trás e ter uma noite de arrepiar? Eis algumas idéias para ajudá-lo com a criatividade.

- **Faça trabalhos artísticos.** Lembra como você adorava desenhar e pintar quando criança? Por que não começar de novo? Represente sua fantasia sexual da maneira mais realista possível num caderno de desenho. Use tinta a óleo para retratar abstratamente seu mais recente orgasmo ou peça a seu parceiro que pose nu para você.
- **Dance!** Em vez de rodopiar pela sala, pratique a arte do *striptease*.
- **Divirta-se.** Qual foi a última vez que você jogou baralho erótico ou brincou de pêra-uva-maçã-salada mista?
- **Escreva o mais erótico conto que conseguir imaginar; depois peça a seu parceiro que o represente com você.** Se estiverem inibidos, encarnem os personagens da história.

Tente incorporar uma ou mais dessas atividades na sua rotina e veja se elas não o ajudarão a ter mais criatividade entre quatro paredes.

TRABALHO COM O SONHO

LEITURA DE FICÇÃO ERÓTICA

Objetivo: abrir linhas de comunicação

Se você sempre teve medo de perguntar a seu(sua) parceiro(a) se ele(a) aprovaria a idéia de alguma posição pouco convencional, ou se gostaria de usar brinquedos sexuais, ou se simplesmente gosta da vida sexual que vocês levam, use a ficção erótica como uma ferramenta para revelar os pontos quentes dele(a). Homens e mulheres tendem a pressupor que aquilo que um parceiro acha estimulante o outro também achará. Mas nem sempre é o caso. Escolham pelo menos um dos dois livros citados abaixo e, um de cada vez, leiam pelo menos algumas páginas em voz alta, um para o outro, todas as noites. Depois, observem quais imagens sexuais os excitam enquanto lêem e identifiquem os aspectos da história que aparecerão em seus ssonhos naquela noite. É impressionante como duas pessoas podem ler o mesmo conto erótico e o subconsciente de cada uma ater-se a imagens completamente diferentes no mundo onírico. De manhã, compartilhem suas conclusões e vejam como as pessoas realmente são diferentes.

- **Delta de Vênus:** histórias eróticas, de Anäis Nin (Editora L&PM)
- **História de O,** de Pauline Reage (Ediouro)

Sonhos com adultério

"Dentro de todos nós, até mesmo dos homens bons, existe uma fera selvagem, desobediente, que espreita durante o sono."
Platão

Agora que está recordando e interpretando os sonhos e seus símbolos com mais facilidade, você ficaria surpreso caso se flagrasse sonhando com outra pessoa que não o seu parceiro? Ah, então você também já teve sonhos de adultério? Acordou sentindo-se culpado? Ou sonhou que estava sendo traído e acordou pronto para tirar satisfações? Invariavelmente, esse tipo de sonho desperta fortes emoções, mas, se conseguir superá-las, você poderá interpretar o sonho objetivamente e, assim, descobrir o que ele tem a lhe ensinar. O que sonhar com adultério realmente significa? Será que é o indício de um problema real?

Quem está pulando a cerca?

O modo mais óbvio de começar a interpretar um sonho que envolva traição é reconhecer e nomear o traidor. Se você anda tendo sonhos relacionados a sexo com alguém que não seja seu cônjuge, provavelmente está criando um amante onírico a fim de explorar aspectos de seu atual relacionamento com os quais não está satisfeito. Mais a frente discutiremos detalhadamente os amantes oníricos. Se, contudo, seu atual parceiro é o adúltero, o sonho pode dizer respeito à sua própria insegurança. Ou pode ser um alerta real.

> **CENA DE SONHO**
>
> **A outra**
>
> Uma noite Susana sonha que encontra o marido, César, na cama com outra mulher. Ela não reconhece a mulher, mas percebe que é alta, magra e tem longos cabelos loiros. César está tão entretido que nem sequer nota a esposa parada na porta. Continua contorcendo a moça em várias posições e, em certo momento, ela dá uma cambalhota para trás e aterrissa diretamente em seu pênis ereto. Após alguns instantes, César retira o pênis da mulher e a inclina para trás, podendo assim começar uma sessão de sexo oral nela. Nesse momento, ela vê Susana parada na porta e grita. César olha para a esposa e pergunta: "Por que não nos deixa em paz?". Em prantos, Susana foge correndo de casa.

SEU PARCEIRO COMO A ESTRELA DO SONHO ERÓTICO. Sonhos com o parceiro tendo um caso são mais comuns que sonhos em que o adúltero é a própria pessoa. Se você sonha que está sendo traído, preste atenção em quem está com seu parceiro. Muito provavelmente, essa pessoa representa um aspecto de você mesmo que o desagrada ou uma insegurança que tolhe seus movimentos na vida real.

Sonhos como o de Susana podem deixar a pessoa preocupada e perplexa durante dias. Medos irreais começam a surgir em momentos inadequados, e você começa a se perguntar se o sonho é um indício de infidelidade em seu relacionamento. Certa manhã, Susana chegou ao meu consultório em prantos. Com aquele sonho há dias na cabeça, queria saber se devia confrontar o marido e perguntar-lhe se estava tendo um caso.

Sugeri a Susana que a mulher do sonho poderia representar uma parte dela mesma, uma perda de identidade. Talvez, em alguma área da vida, algo a fizera sentir-se insegura. Relutantemente, Susana admitiu que desde o nascimento do primeiro filho deles, cerca de seis meses antes, ela andava estressada e exausta com os cuidados dispensados ao novo membro da família. Não encontrava tempo para cuidar de si nem para fazer exercícios. Confessou, também, que ainda não havia perdido todos os treze quilos da gravidez.

Depois de saber mais sobre Susana e os aspectos de sua vida e dela mesma que desejava mudar, ficou claro para mim que a mulher do sonho representava tudo aquilo que ela julgava não ser: magra, atraente e cheia de energia. Susana sabia que seu peso e estilo de vida haviam saído de controle, mas considerava mais importante colocar as necessidades do bebê na frente das suas. O sonho lhe mostrava o quanto se sentia insegura e insatisfeita consigo mesma. Depois disso, Susana percebeu que, para superar essa insegurança, precisava alterar profundamente algumas coisas na vida real.

"Caminhe suavemente, porque você caminha nos meus sonhos."
W. B. Yeats

Insegurança

Sonhos como o de Susana são muito comuns, particularmente entre mulheres insatisfeitas consigo mesmas ou que não se aceitam como são. A baixa auto-estima campeia entre as mulheres. Não gostamos de nossa idade nem de nosso corpo. Não gostamos de nosso peso nem da cor ou do comprimento de nosso cabelo, nem gostamos do nosso emprego. Então, nos sonhos, nosso companheiro pode estar com uma mulher com cabelos mais compridos ou curtos que os nossos, de uma cor diferente, com a forma física que gostaríamos de ter, com a idade que gostaríamos de ter, enfim, uma mulher em todos os sentidos melhor do que nós.

Lembre-se: se sonhar que seu parceiro está com outra mulher, é porque você quer ser como ela ou se parecer com ela, não porque seu parceiro esteja insatisfeito com você. Você é que está insatisfeita consigo mesma!

Fato ou ficção?

Mas como saber se seu sonho diz respeito apenas a seu relacionamento consigo mesmo ou se é um alerta real sobre o que está acontecendo em sua vida?

Com freqüência, Karen sonha que o marido a está traindo com várias outras mulheres. Às vezes o sonho inclui detalhes sexuais explícitos, outras vezes gira em torno de conversas com familiares e amigos sobre as escapadas dele. Um dos roteiros mais comuns é ela entrar numa sala, durante uma reunião familiar, e ouvir as pessoas sussurrando: "Mas será que ela não percebe?" ou "Tem mulher que é cega...".

Em minhas sessões com Karen, discutíamos e explorávamos vários desses sonhos, sem contudo descobrir a insegurança ou o aspecto interpessoal que poderia estar na raiz deles. Havia um "cheiro" de verdade nos detalhes e nas características das mulheres e em outros detalhes dos sonhos, mas não conseguíamos chegar a uma conclusão definitiva sobre o que os estaria provocando. Por fim, perguntei a Karen se ela tinha alguma prova de que o marido a traísse. Ela me garantiu que não. Quatro meses depois, Karen apareceu no consultório para dizer que estava se divorciando. Uma amiga sua, Letícia, havia flagrado o marido dela num restaurante com outra mulher, numa noite em que ele havia dito que trabalharia até mais tarde. Quando Karen o chamou para conversar, ele ficou aliviado, admitiu que estava tendo um caso e pediu o divórcio. Em retrospectiva, Karen disse que os sinais haviam estado sempre ali, mas ela não os notava. O marido freqüentemente chegava em casa tarde ou passava a noite no escritório, "trabalhando num grande projeto", e, muitas vezes, quando ela atendia ao telefone, a outra pessoa desligava imediatamente. Depois desses "enganos", o marido sempre sentia uma necessidade súbita de sair, fosse para comprar um picolé ou apanhar o jornal. Sem dúvida alguma, ele saía para telefonar à amante.

Às vezes o subconsciente percebe sinais de alerta que não queremos ver na vida real. A maioria dos sonhos não é de alerta, mas ainda assim examine-os cuidadosamente. Se eles estiverem revelando verdades sobre seus relacionamentos ou inseguranças, preste atenção nos detalhes a sua volta. Observe, medite e continue a explorar os aspectos ocultos dos sonhos. Entretanto, se tudo isso falhar, talvez seja hora de investigar melhor o que seu parceiro anda fazendo.

CENA DE SONHO

Tarde de compras

Do diário de sonhos de Laura: "Sonhei que estava no supermercado. Embora não me lembre de meu namorado estar no sonho, o tempo todo sentia que ele parecia prestes a chegar. Acho, então, que ele talvez estivesse em outro corredor do mercado ou algo assim.

"Freqüentemente tenho sonhos eróticos que se passam no supermercado — talvez aquela variedade toda mexa comigo —, mas dessa vez eu estava completamente vestida, o que é raro quando tenho esse tipo de sonho. Estava vendo as laranjas (que curiosamente estavam na seção de iogurtes), quando um homem bonito (de pele bronzeada e cabelo revolto, como se estivesse ocupado demais curtindo a vida para ter tempo de pentear-se) passa por mim para pegar margarina ou algo assim. Ele me parece incrivelmente familiar, embora seu rosto não lembre o de ninguém que eu conheça.

"Acho que começamos a conversar, e parece que nos damos muito bem, pois ele logo começa a me acariciar entre as pernas e vai avançando. Ele me olha fixamente e, cada vez que tento desviar o olhar, crava os olhos em mim, forçando-me a continuar encarando-o. Ele tem aquele sorriso inacreditável, travesso, que me faz querer sorrir também, não por timidez, mas porque temos aquele segredo maravilhoso entre todos aqueles iogurtes, frutas e pessoas. Simplesmente sustentamos, então, aquela troca fixa de olhares. Com habilidade, ele tira vagarosamente meu short e me apóia sobre uma pilha de frutas. Nesse ponto, seu foco está em me agradar. Em nenhum momento deixo de lado as laranjas que levo na mão.

"Seu toque forte e determinado me enlouquece, mas não consigo tirar da cabeça a idéia de que meu namorado está em algum lugar por ali, e ficaria arrasado se soubesse o que está acontecendo.

"Parece que não consigo ter sonhos eróticos prazerosos e lúdicos. Sinto-me sempre mortalmente culpada pela idéia de que ele possa 'descobrir tudo'. Nem em sonho consigo ser infiel."

Um sonho de adultério a dois

Carlos e Camila não vinham passando muitas horas de lazer juntos. Enquanto ele andava envolvido em suas tarefas de final de semana, treinando as crianças do bairro para um campeonato de futebol, ela, uma arquiteta com escritório em casa, viajava a trabalho. Apesar disso, comparando com os meus inúmeros clientes, o relacionamento desse casal parecia próximo da perfeição. Carlos e Camila eram ao mesmo tempo grandes amigos, companheiros espirituais e amantes.

Certa ocasião, num feriado prolongado, decidiram fazer um tranqüilo retiro nas montanhas, longe da agitação da cidade. Na primeira noite fora de casa, Camila acordou de um salto. Um pesadelo a havia deixado perturbada e desorientada. Sentou-se para tirar aquilo da cabeça.

No mesmo momento Carlos acordou, exclamando: "Acabo de ter um pesadelo horrível!". Ela disse baixinho: "Eu também". "Você primeiro", ofereceu Carlos. E ela começou: "Sonhei que estava casada com você, mas você era o Brad Pitt e era viciado em drogas!". Carlos interrompeu: "Não pode ser! Sonhei que eu era o Brad Pitt e que era um vampiro!" "O quê?!", exclamou Camila. "Conte-me seu sonho!".

Pálido e trêmulo, Carlos apoiou-se no cotovelo e começou a contar: "Eu era o Brad Pitt. Sabia que era um vampiro e isso não me agradava. Não queria machucar ninguém, mas não conseguia me controlar. Estava voando, como um morcego, sobre um grupo de pessoas reunidas em círculo, numa clareira aberta no bosque. Percebi que entre eles havia uma mulher jovem, uma vampira como eu, então desci rapidamente e comecei a fazer amor com ela. De repente, percebi o que estava fazendo e despertei, dizendo: 'Oh, não! Eu traí Camila!'". Nesse momento Carlos desabou no travesseiro, decepcionado consigo mesmo.

Camila então começou a contar os detalhes de seu sonho. "Eu estava cuidando de um menininho enquanto a mãe dele preparava a casa para uma grande festa de casamento. Havia combinado de assistir a um filme com a criança e, depois, devolver os DVDs à locadora. Havia uma enorme variedade de filmes. Pelo que me lembre, nenhum deles tinha título. Pus um DVD no aparelho e fiquei chocada ao ver que o filme mostrava você, como Brad Pitt, dizendo que era um ex-viciado. Tirei o DVD imediatamente porque achei que não era apropriado para crianças. Pus, então, outro DVD, mas vimos você outra vez, e era um viciado. Ainda que estivesse completamente livre do vício, as cenas de seu passado eram realmente assustadoras, com certeza algo que um garotinho não deveria ver! Então ejetei o DVD outra vez e decidi devolver os filmes. Foi quando percebi que havia vários filmes caseiros espalhados pelo chão, com os filmes alugados."

Alguns meses depois, Camila convenceu o marido a marcar uma consulta conjunta comigo para discutirmos aqueles pesadelos do fim de semana na montanha. Fiz a ela uma das minhas perguntas-padrão: "Como você descreveria seu marido a alguém que não o conhecesse?". Ela respondeu, olhando docemente para ele: "Ele é lindo de morrer, muito doce, amoroso e adora sexo".

Expliquei que, nos sonhos, quando a mulher não está emocionalmente preparada para aceitar os defeitos do marido, pode colocar outra pessoa (nesse caso Brad Pitt) para desempenhar o papel dele. Camila escolheu o ator porque, para ela, ele é uma boa descrição de Carlos. Perguntei a ela o que lhe vinha à mente ao ouvir a palavra "viciado", e me contou que o marido havia sido viciado em sexo no fim da adolescência e no início da vida adulta. Quando soube que Carlos era um ex-viciado em sexo, o significado de ambos os sonhos ficou claro para mim. Algo havia despertado a velha compulsão em Carlos, mas ele não estava consciente disso.

Perguntei a ele o que achava de seu sonho. "Vimos recentemente o filme *Entrevista com o vampiro*, estrelado por Brad Pitt. Acho que me identifiquei com Brad Pitt porque seu personagem era um cara legal, que não queria machucar ninguém. Quando percebe que é um vampiro, fica revoltado com as condições em que terá de viver. Depois, porém, ele se rende à necessidade de sangue; não consegue se controlar. Então, no sonho, decidi fazer amor com outro vampiro, em vez de escolher alguém diferente de mim. Reconhecemos a necessidade um do outro e eu não estava causando danos a ninguém naquele círculo."

Perguntei a Carlos como aquele sonho poderia representar o que ele estava vivendo naquele momento. Podia apostar que ele não conseguiria enxergar por meio de todos aqueles detalhes cênicos do sonho e chegar à verdadeira questão, que era a possibilidade de trair a mulher. Após alguns questionamentos, conversamos sobre suas atividades de técnico de futebol infantil. "À noite, os pais dos alunos se reúnem em volta de uma roda de samba para beber e conversar", contou ele.

Perguntei se a roda de amigos da vida real poderia ser o círculo de pessoas na clareira que havia visto no sonho. Ele concordou. Também aceitou minha sugestão de que ele podia estar se lembrando daqueles anos de compulsão sexual, e que estava botando para fora suas emoções sob a pele de Brad Pitt, no papel de um vampiro. Quando lhe perguntei se recentemente havia sentido atração por alguma mãe de algum de seus "alunos", alguém que ele imaginasse ser boa de cama, ele respondeu rapidamente: "Não me lembro de ter sentido atração por ninguém em particular. Mas há, sim, mulheres no grupo que usam calças justas, com blusas decotadas, o que me parece muito sexy. Posso ter tido alguns pensamentos fugazes, mas nada em que eu tenha me permitido gastar mais tempo".

Resolvemos explorar a perspectiva do vampiro-morcego, e Carlos contou que freqüentemente sonhava em voar. Duas das minhas explicações sobre sonhos com vôo encaixavam-se: "Às vezes sentimos como se nossa vida diária estivesse fora de controle, então à noite lidamos com esse sentimento tendo um domínio total; podemos até mesmo controlar nosso corpo e fazê-lo voar. Isso é extasiante. E parte do êxtase vem da liberdade que você sente por ter controle sobre si. Outras vezes, sonhamos em voar porque precisamos planar acima de determinada situação e olhar para ela objetivamente". Carlos disse que às vezes sentia que tudo ao redor saía de controle.

Sugeri que ele estivesse voando no sonho por estar morrendo de medo de perder o controle sobre sua compulsão sexual e precisar olhar a situação objetivamente. "Você estava numa viagem maravilhosa com sua mulher, sentindo-se feliz e próximo dela. Era a primeira vez em muito tempo que vocês dois ficavam juntos fora da cidade. Talvez, de repente, você tenha se dado conta de como é bom passar algum tempo livre com ela e tenha se sentido culpado por 'traí-la', preferindo ficar com o círculo de amigos no bosque a ficar com ela no bosque".

"Minha preocupação é que esse sonho seja um alerta vindo de seu eu superior. Talvez você precise ficar mais atento aos pensamentos que passam por sua cabeça quando está longe de casa. Não deixe o vampiro da compulsão fazê-lo de vítima. Esse sonho é um alerta claro para que você permaneça no controle de sua compulsão."

Perguntei a Camila se ela agora compreendia melhor o próprio sonho. Ela disse ter percebido que Brad Pitt representava Carlos em seu antigo vício, mas não entendia o resto. Após alguns debates, decidimos que o menininho representava uma versão mais jovem de Carlos. Camila havia assumido a responsabilidade de tomar conta do lado viciado de Carlos e queria protegê-lo dos antigos hábitos e pensamentos. E ela o protegia porque seu lado cuidador (seu lado materno) queria continuar a celebrar aquele casamento.

Mais um pouco de investigação e Camila conta que os irmãos de Carlos também tinham comportamento compulsivo. Ambos haviam traído e abandonado as namoradas. Seu sonho lhe dizia que ela estava tomando conta de Carlos como uma mãe faria para evitar vê-lo (ver os filmes) entregar-se ao vício enquanto estivessem casados. Sua tentativa de classificar os filmes representava a tentativa de classificar os próprios sentimentos em relação a ele e sua família.

Camila me procurou de novo alguns meses depois. Havia sonhado que o marido a traía. Estava tão certa de que ele tinha um caso que o chamou para conversar. Carlos negou tudo. Depois, Camila telefonou para me contar que, um ano após os sonhos com Brad Pitt, ela descobriu um álbum de fotos de Carlos com a amante. O caso havia durado seis meses e Carlos não deu atenção ao alerta de seu sonho seis meses antes disso. Agora eles estão divorciados.

Quando lemos histórias como as de Carlos e Camila, muitas vezes nos perguntamos como puderam ignorar esses sinais de maneira tão ingênua. Mas entender as coisas depois que elas já aconteceram é muito fácil. Podemos, contudo, aprender com o erro alheio. Havia placas de sinalização no caminho deles o tempo todo e eles estavam sendo ajudados por um informante onírico. Nossos sonhos podem ser mensagens de nossa alma.

> *"Aprender a entender os sonhos é uma questão de aprender a entender a linguagem do coração."*
> Ann Faraday

Vista a carapuça, preste atenção e não entre em pânico!

Essa é uma das expressões do meu mestre Adano das quais eu mais gosto. Ela nos dá uma boa orientação para interpretar sonhos com adultério. Ponha cada sonho em perspectiva e lembre-se de que sonhos proféticos representam apenas 3% do total. A maioria dos sonhos não se realiza. Ao interpretar um sonho desse tipo, minha primeira reação é tratá-lo como se fosse sobre mim e meus conflitos amorosos. Você também pode tentar incubar um sonho, como discutimos no capítulo 2, e pedir mais informações sobre o sonho com adultério.

TRABALHO COM O SONHO

OUTRA PROMESSA DE ANO-NOVO QUEBRADA

Objetivo: analisar seus sonhos para descobrir se você está, na verdade, traindo a si mesmo

SONHOS ERÓTICOS

Todas aquelas promessas de ano-novo que fazemos com tanto entusiasmo em 1º de janeiro rapidamente se transformam em fardos indesejáveis. Para tentar descobrir se seus sonhos adúlteros são meramente um sinal de que você, de alguma maneira, andou se traindo, olhe para trás, para todas as promessas que fez a si mesmo este ano, e observe as que cumpriu. Preste atenção agora às que deixou para trás. Será que alguma dessas promessas não cumpridas anda ecoando em seus sonhos de adultério?

Amantes oníricos

*"Quero uma garota para chamar de minha.
Quero uma amante em meus sonhos para não
ter de sonhar sozinho."*
Bobby Darin

Que tal nadar nu com seu chefe, tomar banho com um membro da realeza ou transar com sua estrela de cinema favorita? Nos sonhos tudo é possível. E as boas notícias não acabam aí: não há razão para sentir-se culpado por ter um compromisso na vida real e, ao mesmo tempo, comparecer a um encontro com outro alguém nos sonhos. Sonhar em transar com outra pessoa tem pouca relação com seu nível de compromisso e fidelidade com o seu parceiro. Sendo assim, relaxe. Se deseja viver uma experiência sexual diferente de tudo que já provou, simplesmente sonhe com ela!

Feito para agradar

Homens e mulheres, solteiros ou comprometidos, têm sonhos eróticos envolvendo amantes oníricos. Ao contrário dos sonhos com adultério, normalmente tais sonhos não estão relacionados com insegurança ou alertas. Mas são sinais de que há aspectos de você mesmo, sua vida ou seu relacionamento que precisam ser explorados. Sonhos envolvendo amantes oníricos são para seu próprio prazer e interpretação, e você é o personagem principal. Para interpretá-los, pense antes de mais nada nas principais características do amante onírico. Quais tipos de atividade sexual vocês desempenharam? Faça a si mesmo perguntas sobre seu relacionamento atual, tais como: "O que está faltando nesse relacionamento sob o ponto de vista sexual ou emocional?" ou "O que está faltando na minha vida sob o ponto de vista sexual ou emocional?". Veja se consegue achar qualquer semelhança entre o que o amante onírico lhe oferece e o que está faltando em seu relacionamento atual.

Amantes oníricos que revelam coisas sobre nós

Certa noite, Emília sonhou que estava olhando de uma janela no segundo andar de um sobrado e viu a amiga Catarina passar. Quando Catarina olhou para cima, viu Emília no sobrado com um garoto sexy de 15 anos e perguntou se eles queriam sair para tomar algo. Com um olhar muito triste, Emília respondeu: "Quero ficar aqui com meu avô". Rindo, a amiga gritou de volta: "Avô uma pinóia! Você quer é ficar com esse menino aí!".

Ao acordar, Emília secretamente se perguntou se o clima de romance estaria desaparecendo de seu relacionamento atual ou se, em algum nível subconsciente, ela estaria interessada em um *affair*. O sonho a incomodou o dia inteiro e acabou levando-a a meu consultório.

"Diga-me, Emília", perguntei, "o estranho no sonho a faz lembrar alguém?"

Mais que depressa ela respondeu: "O filho de um amigo meu, Paulo".

Perguntei ainda: "Quais são as três principais características de Paulo?".

"Bom, ele é jovem, bonitinho e sexy", respondeu ela.

"Certo", disse. "Fale-me agora sobre seu avô."

Ela começou devagar: "Ele é divorciado, bem conservado para sua idade e muito religioso".

"No sonho, cada pessoa é um aspecto de você mesma, Emília. Sua amiga Catarina, o adolescente, o avô e até mesmo o sobrado são, todos eles, parte de você. O sobrado representa sua vida. Evidentemente, o aspecto profissional é muito importante em sua vida, porque você escolheu um sobrado – talvez com uma loja no primeiro andar – em vez de uma casa térrea."

"É verdade", disse Emília. "Sou dona de um pequeno negócio."

"Sua vida tem dois níveis", continuei. "O nível da rua, cotidiano, isto é, o nível normal de ser e fazer as coisas; e há, ainda, o nível superior, que representa o que ocorre no andar de cima, na sua mente. A janela representa sua capacidade de olhar para além do lugar onde está neste momento. Você está olhando para fora da janela e ao lado de um adolescente bonito e sexy, e está triste porque aquele lado seu quer estar com seu lado avô! Você está escolhendo ser quem é agora, em vez de viver no passado. Está escolhendo aceitar a si mesma agora."

A partir dessa análise, Emília descobriu que havia duas vivências femininas dentro dela. Uma era a adolescente sexy, jovem e bonita que ela fora outrora e que, agora, quer muito voltar a ser por estar se relacionando com um homem mais jovem. A outra é seu lado avô: ela já se divorciou e está muito conservada para sua idade. Mais tarde soube também que Emília, assim como o avô, é muito religiosa.

Sonhos como o de Emília são indícios comuns de que não estamos sendo nós mesmos, por inteiro, em nosso atual relacionamento. Acabamos nos traindo ao não examinar totalmente os aspectos que nos impedem de viver uma vida sexual plena e satisfatória. No caso de Emília, o amante onírico lhe deu a oportunidade de finalmente aceitar a mulher madura e bonita que ela é.

Evasão da realidade

Nosso subconsciente sabe exatamente quando precisamos sair do ar. Em geral, nossos relacionamentos da vida real são frustrantes ou mesmo insatisfatórios, e um amante onírico pode representar uma evasão oportuna.

> **CENA DE SONHO**
>
> **Tudo para você**
>
> Sonho de Juliana: "Estou numa festa e de repente entro num dos banheiros da casa. Assim que abro a porta, um homem nu, com um pênis excepcionalmente grande, me cumprimenta. Olha-me como se estivesse esperando por mim e, lentamente, começa a se acariciar. Rapidamente bato a porta atrás de mim. Aproximo-me dele e começo a correr minhas mãos por seu pênis e bumbum. Sua pele é macia e quente e o aroma de sua colônia penetra em minhas narinas, o que me deixa louca para devorar cada centímetro de seu corpo. Nesse momento acordo".

Juliana tem tido sonhos parecidos com esse com uma certa freqüência, mais ou menos um a cada mês. Cada sonho erótico se passa numa casa ou lugar diferente, mas em todos aparece o mesmo homem. Às vezes, os dois ficam apenas nas preliminares, mas, outras vezes, a brincadeira termina numa apaixonada relação. No sonho, o homem revela vários aspectos de si, mas Juliana jamais consegue ver seu rosto. Sempre que está prestes a encará-lo, acorda.

Depois de trabalhar com Juliana, descobri que ela passou doze anos num casamento infeliz. Seu relacionamento atual tampouco a satisfaz, nem emocional nem sexualmente. Ela tem um amante onírico porque sua psique é delicada e o sonho está tentando criar um equilíbrio para ela, evitando que sofra. Ela anseia desesperadamente por amor e ternura, então os sonhos surgem quando está se sentindo mais frágil do ponto de vista emocional. O lado seu que sabe do que ela precisa criou exatamente aquilo: um homem que a ama e está disposto a ficar vulnerável (nu). O amante onírico de Juliana exerce uma função essencial na vida dela.

Talvez você já tenha tido sonhos parecidos. Pode ser que seu relacionamento atual sempre tenha lhe parecido satisfatório, até que um dia você percebe uma necessidade não atendida, sua ou de seu parceiro. É aí que o amante onírico entra em cena e encaixa tudo no seu devido lugar. Temos tantas necessidades que ninguém seria capaz de atender a todas. Criamos, então, o amante onírico para atender às nossas necessidades naquele momento. Podem passar anos até que você tenha outra necessidade e crie outro amante ou pode acontecer de novo amanhã.

No quadro a seguir, veja algumas das nossas necessidades e, mais adiante, os amantes típicos que surgem para preenchê-las.

NECESSIDADES EMOCIONAIS	
Aceitação	*Compartilhamento*
Admiração	*Compreensão*
Afeição	*Conexão*
Amizade	*Confiabilidade*
Apego	*Confiança*
Apoio	*Consideração*
Apreciação	*Constância*
Atenção	*Cooperação*
Calor humano	*Cuidado*
Companhia	*Deleite*

Empatia	Prazer
Estabilidade	Previsibilidade
Estímulo	Proximidade
Excitação	Reafirmação
Harmonia	Reconhecimento
Honestidade	Relaxamento
Humor	Respeito
Igualdade	Riso
Imparcialidade	Satisfação sexual
Independência	Segurança
Intimidade	Ser benquisto
Justiça	Ser ouvido
Liberdade	Ternura
Ludismo	Tolerância
Ordem	Toque
Paixão	Validação
Paz	Vivacidade

Amantes oníricos

Você já se pegou perguntando: "Quem era aquele cara (ou aquela moça) no meu sonho?". Amantes oníricos podem variar do mundano ao bizarro. Alguns podem aparecer num sonho só, enquanto outros são recorrentes. Mas o que eles revelam sobre nós mesmos? A seguir você encontrará os tipos mais comuns de amantes oníricos explicados em detalhe, assim como alguns personagens não tão corriqueiros.

OS QUATRO AMANTES ONÍRICOS MAIS COMUNS. É preciso ter em mente que, de tempos em tempos, seu amante onírico pode ser seu atual parceiro. Se for o caso, sorte sua! Isso provavelmente significa que você se sente pleno e completo no relacionamento.

O desconhecido. O amante onírico desconhecido é criado a partir de diferentes aspectos de várias pessoas conhecidas. Ele aparece como um desconhecido porque você não sabe quem seria a pessoa certa para aquele papel.

O conhecido. Esse é alguém que você conhece, mas por quem não se sente atraído na vida real, como um colega de trabalho, vizinho, parente ou o balconista da loja que costuma atendê-lo. Apesar disso, no sonho o conhecido atende às suas necessidades. Ele pode ter um rosto conhecido, porque, tenha consciência disso ou não, aquele rosto pode simbolizar algo para você. Talvez você se sinta atraído por determinada qualidade do amante onírico, mas, ainda assim, não se imagine transando com aquela pessoa. A qualidade dessa pessoa com a qual você mais se identifica é algo que você valoriza muito ou espera ter um dia. Por exemplo, talvez você seja uma pessoa assertiva, enquanto o amante onírico é submisso, tem um jeito delicado de ser que acaba lhe conferindo certo poder tácito. No seu subconsciente, você quer ser como ele. Não é exatamente a pessoa que o atrai, mas uma qualidade específica dela. Ao interpretar esses casos de amantes oníricos conhecidos, leve em conta também a profissão da pessoa. Se você tem um sonho erótico com um carteiro, por exemplo, isso pode significar que tem um problema de comunicação mal resolvido. Com quem você está se comunicando mal? Precisa de certa informação antes de tomar uma decisão?

O amigo íntimo. Nesse caso há duas hipóteses: um amigo íntimo do presente ou um amigo íntimo do passado. Os mesmos princípios que se aplicam aos sonhos com conhecidos também se aplicam a sonhos com amigos íntimos do presente: seu subconsciente identifica-se com determinado(s) traço(s) desse amigo. No caso do amigo do passado, esse amante onírico pode fazê-lo recordar um período único em sua vida. Essa época deve ter sido maravilhosa, porque você se sentia bem consigo mesmo, seu poder de atração, sua aparência ou situação financeira. O amante onírico lhe aparece agora somente como um lembrete do passado, ou porque você deseja ficar numa situação parecida de novo, ou porque está numa situação parecida atualmente. Isso não significa que você nutra algum sentimento por aquela pessoa, nem que deseje reencontrá-la.

O **ex**. Você já namorou ou foi casado com esse amante onírico. Talvez acorde pensando: "Nossa, que pesadelo! Demorei anos para esquecer essa pessoa e agora ela me aparece de novo...". Ou talvez acorde alegre, encarando o sonho como uma auspiciosa premonição. Por que você sonharia com seu ex, estando tão perfeitamente feliz com o fim da relação e satisfeita no relacionamento atual? Pode ser que você não esteja tão feliz assim, e o sonho tenha sido desencadeado por algo que seu parceiro atual disse ou fez e que o levou a recordar o ex. Seu parceiro atual pode ser radicalmente diferente do anterior, mas mesmo assim ele pode despertar sentimentos similares aos que você tinha naquela época.

Se quiser aprender coisas importantes sobre si a partir de um sonho envolvendo um ex, é essencial examiná-lo imediatamente após despertar. Pergunte-se o que aconteceu na noite anterior, ou na manhã do dia anterior, quando estava conversando com seu parceiro. Algo do que foi dito não lhe caiu bem? Será que ele se comportou de uma maneira que você nunca havia visto? Anote algumas frases a respeito e, mais tarde, examine de novo o caso, talvez enquanto estiver dirigindo. Antes de se deitar, reveja seu dia e anote seus pensamentos. Tente abordar os problemas e as emoções em seus sonhos.

Após alguns dias burilando o problema, seu subconsciente começará a se abrir e cooperar. Seu eu superior, aquela parte sua que sabe como fazê-lo, se tornará mais presente e, em breve, você receberá a informação de que precisa. Essa informação pode chegar na forma de um sonho ou por meio de alguém que você encontre, ou ainda quando estiver vendo um filme ou lendo o jornal.

Outra razão pela qual você pode sonhar com um ex é porque tem se identificado com uma característica específica dele, boa ou ruim, e feito dessa pessoa um símbolo para representar um aspecto de si mesmo. Viver com alguém, ainda que por um período curto, cria um inacreditável banco de dados. Imaginemos, por exemplo, uma mulher que tenha sido casada durante muito tempo com um homem excepcionalmente inteligente. O subconsciente dessa mulher armazena essas informações e, ao longo da vida dela, usa o rosto do marido como um símbolo de inteligência. Assim, se ela sonha com o ex, o sonho não diz respeito a ele, e sim ao que ele representa para ela, ou seja, seu lado inteligente. Talvez ela esteja se torturando mentalmente por ter feito algo que julga estar errado. Como não está emocionalmente preparada para aceitar que também é muito inteligente, seu verdadeiro eu – aquela parte que tudo sabe no estado onírico – fornece a ela o símbolo perfeito da própria inteligência: o ex-marido. Esse sonho surge porque ela está vivendo um conflito interno entre inteligência e ignorância.

Quando uma pessoa me conta um sonho com outros personagens que não ela própria, peço que me diga as três principais características que lhe vêm à mente quando ela pensa naquele indivíduo. Isso deve ser feito rapidamente, com as primeiras palavras que surgirem na cabeça. Na verdade, esse método funciona melhor em meu consultório, onde peço à pessoa que feche os olhos e veja o personagem em sua mente. Em seguida bato palmas, bem diante de seu rosto, e lhe peço que rapidamente me diga três características. A maioria das pessoas acha as respostas impressionantemente precisas e perspicazes. Assim que a pessoa nomeia essas três características, pego as mesmas palavras e pergunto: "Em que medida você também é assim?".

CENA DE SONHO

Aventura rural

Quem conta é Sueli: "Eu e meu ex-namorado, Marcelo, vivemos uma paixão intensa que se evidenciava em todos os aspectos de nosso relacionamento e, por fim, acabou levando a sua derrocada. Sonho com ele regularmente. Esta foi uma das ocorrências mais recentes:

"Estou chegando de um longo e árduo dia no campo. Vivo e trabalho numa fazenda. Faz calor lá fora, é um típico dia de verão e estou usando um vestidinho leve, empapado de suor. O entardecer vem chegando e a cor do céu começa a mudar. Entro no celeiro para guardar as ferramentas que vim arrastando do campo. Está escuro lá dentro e meus olhos demoram um pouco para se acostumar. Quando isso acontece, diviso Marcelo na escuridão, apoiado num fardo de feno a um canto do celeiro. Está usando um chapéu de caubói e fumando um de seus característicos cigarros de cravo. Está sem camisa e, com dificuldade, percebo o suor cintilando em seu peito nu. Ele fica tão maravilhoso com aqueles *jeans* velhos. Não me diz nada, mas crava os olhos nos meus. Aquele olhar me deixa hipnotizada. Enquanto caminho até ele, não sei se a umidade entre minhas pernas é de suor ou excitação. No sonho, tenho consciência de que na vida real estou me relacionando com outro homem, que me faz feliz, e sei que terei uma transa apaixonada com Marcelo, mas por algum motivo isso não parece nem um pouco errado.

"Num único movimento ligeiro, ele apaga o cigarro com a bota, ergue-me nos braços musculosos e atira-me sobre o áspero fardo. Prende meus braços para baixo enquanto tento me levantar para alcançar sua boca. Ele se mantém fora de alcance e começa a me provocar com leves lambidas e toques erráticos que me deixam louca. Mas ele não consegue

> resistir à onda de paixão e, pouco tempo depois, estamos devorando um ao outro, nos despindo, mordendo e lambendo, enquanto cambaleamos pelo feno. No fim, estou absolutamente ensopada por uma mistura almiscarada de suor e doce fluido amoroso. Acordo com um gemido orgástico, um dos mais intensos que já tive."

ENTRE LENÇÓIS

- Mulheres sonham mais freqüentemente com conhecidos e pessoas de seu convívio do que os homens.
- Conseguimos identificar apenas cerca de 40% dos personagens que aparecem em nossos sonhos.

O QUE VOCÊ ESTÁ FAZENDO AQUI? É natural que estranhos, conhecidos, amigos ou paixões antigas apareçam no seu sonho, mas o que você me diria dos personagens a seguir, que parecem completamente aleatórios ou mesmo tabus?

O chefe. Seu chefe representa a autoridade. Tente descobrir como se sente em relação ao poder e ao controle. Você está deixando a desejar ou se excedendo em alguma dessas áreas? Seu amante onírico pode estar lhe dando, literalmente, o gostinho do poder.

O presidente. O presidente encarna os mesmos símbolos de autoridade que o chefe, mas também representa proteção.

Realeza. A realeza traz uma conotação de regência (reis, rainhas, príncipes e princesas) e pode representar os regentes de seu corpo, mente e alma.

Alguém de outra etnia ou cultura. Existem aspectos de algum grupo étnico ou de alguma cultura específica que você anda incorporando na sua vida? Você está se tornando globalizado ou exótico? Em caso positivo, esse amante onírico pode estar representando esse seu novo ponto de vista, habilidade ou traço de caráter.

Uma pessoa do mesmo sexo. Um sonho em que você esteja transando com alguém do mesmo sexo provavelmente está lhe mostrando aspectos de si mesmo que você precisa acolher.

Seu terapeuta. Terapeutas e clientes desenvolvem laços estreitos. Se você se sente especialmente íntimo ou confortável com seu terapeuta, ele pode aparecer em seus sonhos. O melhor a fazer é discutir a situação com ele ou ela, que poderá ajudá-lo a descobrir pistas do significado.

O extraterrestre. Será que, recentemente, você andou envolvido em atividades espirituais relacionadas a seres superiores ou a seu eu superior? Outra possibilidade é que você pode estar se sentindo fora de órbita na vida real.

A estrela de cinema. Como sempre, examine as características pelas quais a estrela é conhecida e veja se representam alguma área de sua vida que precise de ajustes. Estrelas de cinema no sonho também podem significar o desejo de popularidade.

TRABALHO COM O SONHO

ESPELHO, ESPELHO MEU

Objetivo: ajudar a identificar as características de seu amante onírico em você mesmo

Faça uma lista das características, qualidades ou maneiras de ser de seu amante onírico e compare-as com as suas no momento do sonho. Lembre-se: o amante ou está atendendo a uma necessidade sua, ou mostrando-lhe que ela não está sendo atendida. A seguir, algumas características para ajudá-lo a começar:

Afetuoso
Aflito
Afoito
Agradecido
Alegre
Amargo
Amoroso
Ansioso
Apavorado
Apreensivo
Arredio
Arrependido
Assustado
Calmo
Cansado
Carinhoso
Cético
Chato
Ciumento
Confiante

Confiável
Confuso
Constrangido
Contente
Culpado
Curioso
Deprimido
Desagradável
Desapontado
Desconfortável
Desesperado
Enérgico
Enlutado
Entediado
Esperançoso
Exausto
Excitado
Fascinante
Feliz
Ferido

SONHOS ERÓTICOS

- Frio
- Frustrado
- Furioso
- Hesitante
- Impaciente
- Infeliz
- Inoportuno
- Inseguro
- Insensível
- Inspirado
- Inteligente
- Intenso
- Interessante
- Irritadiço
- Livre
- Magoado
- Maldoso
- Maravilhoso
- Medroso
- Nervoso
- Orgulhoso
- Passivo
- Perturbado
- Pessimista
- Preguiçoso
- Preocupado
- Prestativo
- Quieto
- Raivoso
- Ressentido
- Retraído
- Revoltado
- Seguro
- Sensível
- Sexualmente excitado
- Simpático
- Sobrecarregado
- Solitário
- Terno
- Triste

O que você começará a observar são as semelhanças entre os personagens de seu sonho e você mesmo. Lembre-se: quando não estamos emocionalmente preparados para aceitar um aspecto nosso, haverá outra pessoa no sonho representando tal aspecto. Se você for homem, observe como os outros homens de seus sonhos comportam-se. Às vezes seu pai, irmão, tio ou filho aparece no sonho, dependendo do aspecto que você esteja precisando trazer à tona, curar, acolher ou alterar. Se você for mulher, sua mãe, irmã, tia, sogra ou filha poderá representá-la no sonho.

"Um sonho é o teatro em que o sonhador é, ao mesmo tempo, cenário, ator, ponto, diretor de cena, autor, público e crítica."
Carl Jung

TRABALHO COM O SONHO

CHUTE-O PARA FORA DA CAMA!

Objetivo: quebrar o vínculo entre você e alguém com quem você não quer mais estar conectado

Sente-se em silêncio, feche os olhos e imagine-se sentado dentro de um círculo de luz dourada. Visualize, agora, seu ex-parceiro sentado atrás de você em outro círculo de luz dourada. Perceba uma substância conectora que parte de seu coração e vai até o coração dele, mantendo-os vinculados. Pode ter a forma de um feixe de luz, uma corda, uma corrente, uma barra de ferro ou qualquer outro material conectivo.

Imagine-se agora segurando uma ferramenta que vai cortar esse laço — pode ser tesoura, faca, maçarico ou qualquer coisa adequada à tarefa. Diga a si mesmo ou pense: "Rompo esse laço e liberto a nós dois. Que haja paz entre mim e você". Em sua imaginação, corte a conexão e, em seguida, dê um nó em cada ponta, como se fossem dois cordões umbilicais — você pode sentir até uma pontada de dor ao fazer isso. Visualize uma luz verde curando a dor da separação. Diga adeus àquela pessoa e deixe a imagem se dissolver; abra os olhos. (Nota: faça esse exercício tantas vezes quantas forem necessárias até que o laço entre vocês esteja completamente rompido.)

CENA DE SONHO

Um belo desconhecido

Roberta ouve uma batida na porta. Quando abre, vê um homem inacreditavelmente atraente, alto e musculoso parado na porta de sua casa. Pele dourada, olhos de um raro azul-turquesa e longos cabelos loiros formam um visual perfeito. Ele diz que precisa usar o telefone. Embora ela esteja sozinha e sinta um pouco de medo, algo dentro dela quer deixá-lo entrar. Com um sorriso maroto para lá de erótico, ele acaba entrando. Roberta está curiosa. Ele a olha com tanta intensidade que a deixa assustada e, ao mesmo tempo, excitada. O desconhecido caminha na direção dela, encarando-a sedutoramente, como se pudesse adivinhar seus mais íntimos pensamentos e como se enxergasse sua alma. Fascinada e excitada, ela sente um calor invadindo-lhe o corpo. Ele é tão atraente, na aparência e no jeito de ser, que é como se exercesse algum tipo de poder irresistível sobre Roberta. Por fim, arrebata-a com volúpia e os dois transam loucamente na sala. Ela acorda.

Pronto para se divertir com o sonho de Roberta? Você leu minha interpretação dos dois sonhos com adultério no capítulo anterior; agora, quero que pratique os conhecimentos recém-adquiridos usando as perguntas a seguir para interpretar o sonho de Roberta. Quando tiver decodificado as aventuras noturnas dela, continue a leitura e veja a minha interpretação.

Tente interpretar esse sonho analisando cada parte individualmente e fazendo as seguintes perguntas:

1. *Em que sentido o sonho de Roberta lembrava o que estava acontecendo na vida dela?*
2. *O sonho dela dizia respeito ao passado, ao presente ou ao futuro?*
3. *O sonho tinha uma base física, mental, emocional ou espiritual?*

Eis a minha interpretação do sonho de Roberta:

Roberta ouve uma batida na porta.

Estou inclinada a classificar a primeira frase do sonho como a primeira parte, porque acho que indica a existência de uma situação na vida de Roberta que a levou a ter esse sonho. Sabemos que a casa pode representar a vida ou o corpo. Nesse caso, acho que ambos se aplicam. A porta da frente é a entrada da casa. A batida na porta representa uma oportunidade para ela se abrir emocionalmente e permitir que alguém entre em sua vida ou em seu corpo. Aliás, a batida na porta é um símbolo clássico de oportunidade. É como um grande "Alô!", um telefonema do universo para que a pessoa desperte.

Quando abre, vê um homem inacreditavelmente atraente, alto e musculoso parado na porta de sua casa. Pele dourada, olhos de um raro azul-turquesa e longos cabelos loiros formam um visual perfeito. Ele diz que precisa usar o telefone.

A segunda parte consiste nos personagens que representam diferentes aspectos dela mesma, de sua vida ou do rumo de sua vida. Essa parte nos diz que Roberta quer deixar um homem entrar em sua casa (sua vida ou corpo) e usar o telefone (comunicar-se). Se ela o deixar entrar, isso vai mudar definitivamente o rumo de sua vida. A aparência dele faz parte de sua fantasia amorosa e não necessariamente representa o homem da vida real.

Embora ela esteja sozinha e sinta um pouco de medo, algo dentro dela quer deixá-lo entrar. Com um sorriso maroto para lá de erótico, ele acaba entrando. Roberta está curiosa. Ele a olha com tanta intensidade que a deixa assustada e, ao mesmo tempo, excitada. O desconhecido caminha na direção dela, encarando-a sedutoramente, como se pudesse adivinhar seus mais íntimos pensamentos e como se enxergasse sua alma.

A terceira parte representa a crise. Qual é a crise de Roberta? Ela está sozinha e quer que um homem entre em sua vida, mas tem medo de ser usada. O bronzeado amante onírico é tudo que ela quer e, também, tudo que teme, porque, se ele pode ver o que ela sente e pensa, isso a torna vulnerável.

> *Fascinada e excitada, ela sente um calor invadindo-lhe o corpo. Ele é tão atraente, na aparência e no jeito de ser, que é como se exercesse algum tipo de poder irresistível sobre Roberta. Por fim, arrebata-a com volúpia e os dois transam loucamente na sala.*

A quarta e última parte revela como ela resolve a crise. Veja, no início, as palavras que ela usa: "Sente um calor invadindo-lhe o corpo", o que interpreto como ela "se aquecendo" para encarar a idéia de estar perto de um homem. Mas temos um problema aqui: ela não se sente segura o bastante para ir atrás do que quer, logo o problema só será resolvido por algum poder ao qual ela não possa resistir. Essas são as condições que ela impõe para resolver a crise. Roberta está impotente porque o desconhecido pode enxergar sua alma e percebe que ela quer ser arrebatada. Ela *quer* se sentir impotente, porque, no passado, o autocontrole a impediu de viver experiências íntimas. Obviamente, apenas um homem tão poderoso quanto ela atenderá a suas necessidades emocionais.

E estas são minhas respostas às perguntas de interpretação:

1. *Em que sentido o sonho de Roberta lembrava o que estava acontecendo na vida dela?* Roberta estava solitária e esperando que um homem entrasse em sua vida.
2. *O sonho dela dizia respeito ao passado, ao presente ou ao futuro?* Ao presente, mas tinha implicações para o futuro. Para conseguir confiar num homem de novo, Roberta precisa lidar com o seu passado.

3. *O sonho tinha fundo físico, mental, emocional ou espiritual?* Era um sonho de fundo emocional. Mais tarde, soube que também tinha fundo físico, pois Roberta me contou que a história havia lhe rendido um orgasmo.

Minha explicação para o sonho de Roberta é apenas uma entre algumas possíveis, dependendo de a quem você pergunte. Entretanto, assim que Roberta ouviu essa interpretação, uma nova percepção brotou. Foi como se ela tivesse ouvido seus mais verdadeiros sentimentos, sua própria verdade. Imediatamente, começou a trabalhar seus problemas de confiança com um terapeuta. Às vezes isso é necessário. Em outras ocasiões, a percepção em si já resolve a crise. Com 50 e poucos anos, Roberta percebeu que suas dúvidas internas já haviam dado as cartas por tempo demais. Ela queria aquele homem – ou um similar razoável – na vida dela, enquanto ainda fosse jovem o suficiente para aproveitar esse amor. O sonho era um estímulo para fazer as mudanças necessárias dentro de si e, assim, permitir que a oportunidade batesse à porta de novo.

8

Sonhos eróticos que se realizam

*"Qualquer situação é primeiro sonhada
antes de se tornar realidade."*
Edgar Cayce

Vivenciando seus sonhos

De que vale a interpretação de sonhos se ela não nos levar a agir? Neste capítulo, dividirei com você algumas histórias memoráveis sobre pessoas que usaram *insights* captados nos sonhos, ou nos amantes oníricos, para criar a própria realidade. Nem sempre é fácil colocar em prática a mensagem dos sonhos, especialmente quando essa mensagem é um alerta, mas, se isso for possível, pode mudar a vida do sonhador.

CENA DE SONHOS

A garota do xerox

Diretamente do diário de sonhos de Gilberto: "No escritório, uma mulher caminha na minha direção e, sem dizer uma palavra, levanta a saia, revelando o bumbum nu. Sei que ela quer ser penetrada, então enfio meu pênis. Essa mulher é um delírio. Esprime meus mamilos, acaricia-se durante o sexo e grita de prazer. Transamos em praticamente todas as

> salas do edifício e em cima de cada móvel, incluindo a máquina de fotocópias! Foi um sonho incrível."

Gilberto registrou esse sonho no diário e, pela manhã, relutantemente o mostrou à esposa, Ana. Como ela também estava registrando seus sonhos e sabia que esse era provavelmente um sonho sobre Gilberto ou algum aspecto dele mesmo, e não um alerta, não se sentiu ameaçada. Em vez disso, fez perguntas a ele sobre as características da amante onírica. Gilberto descreveu a mulher como agressiva, aventureira e aberta a experimentar de tudo. Ana percebeu que aquilo era exatamente o oposto de como ela se descreveria. Aquela semana, decidiu incubar um sonho a respeito de suas inibições. Especificamente, queria saber como satisfazer melhor o marido do ponto de vista sexual. Alguns dias após a incubação, sonhou que planejava e iniciava uma transa especial com ele. Não apenas era ela quem tomava a iniciativa, como também era ela quem mantinha o controle durante todo o ato. No sonho, Ana pôde desfrutar em primeira mão a experiência de ser menos inibida. Em seguida, decidiu pôr isso em prática na vida real. A reação de Gilberto foi inacreditável. Ana me contou que, hoje, ela toma a iniciativa mais freqüentemente que o marido, e que a vida sexual deles nunca esteve tão agitada.

ENTRE LENÇÓIS
- O que os escritores Fiódor Dostoiévski, Voltaire, James Joyce, Ann Rice, William Blake e Amy Tan têm em comum? Todos usaram os sonhos como fonte de inspiração e criatividade.
- Samuel Taylor Coleridge escreveu "Kubla Khan" com base num sonho em que alguém lhe recitava as palavras do poema.
- Frankenstein apareceu pela primeira vez a Mary Shelley num sonho.

CENA DE SONHO

O estraga-prazeres

Eis um excerto do diário de sonhos de Míriam: "Papai entra no meu quarto bem na hora em que estou transando com meu namorado! E o pior é que ele permanece completamente indiferente ao fato; parece que não nota ou não está nem aí. Primeiro aponta a cabeça na porta, depois entra e desliga a TV, volta para procurar o cachorro debaixo da cama... e assim por diante. Enquanto isso, olho chocada para ele, incapaz de continuar a transa. É nesse ponto que o sonho acaba. Fico frustrada e confusa durante o sonho, e ainda mais frustrada quando acordo: será que nunca vou ter um sonho erótico sem meu pai aparecer de penetra?"

Para determinar o significado do sonho, Míriam começou a explorar as características gerais do intruso e a atitude dele em relação a sexo. Tentou lembrar tudo que seu pai havia lhe ensinado ou discutido com ela sobre sexo quando ela era mais nova. Suas lacônicas e encabuladas explicações sobre amor, relacionamentos e sexo eram, na melhor das hipóteses, pouco freqüentes. Um homem religioso, o pai de Míriam acreditava que o propósito do sexo era a procriação, não o prazer. Míriam descobriu, então, que o pai era uma metáfora da vergonha e inibição que ela própria sentia na vida sexual.

Após admitir seus medos e inibições, Míriam iniciou uma série de exercícios e meditações voltados à consciência corporal e à auto-aceitação. Deixou de se sentir culpada por transar sem estar casada e por usar métodos contraceptivos. E o mais importante: durante a transa, deixou de se desculpar por suas necessidades sexuais e começou a se focar no próprio prazer e nos próprios orgasmos. Cerca de um mês após o início da jornada rumo à superação das inibições, os sonhos de Míriam com o pai cessaram e, seis meses depois, ela já levava uma vida sexual mais satisfatória, tanto em sonhos quanto acordada.

> ### CENA DE SONHO
>
> Aí tem dente de coelho
>
> Eis um trecho do diário de sonhos de Jaqueline: "Meu marido está sobre mim enquanto transamos. Beijo todo o pescoço dele até chegar à boca — e, para minha surpresa, encontro um enorme dente! Um branco e pontudo dente de coelho!"

No momento em que acordou, Jaqueline entendeu de imediato o significado do sonho. O marido, após voltar das férias familiares em Las Vegas, havia começado a jogar nos caça-níqueis e mesas de pôquer de um cassino local. Ultimamente, ela vinha suspeitando que o marido estivesse desviando dinheiro da empresa da qual era sócio para sustentar a jogatina. Esse sonho, em que o marido aparecia como um coelho, convenceu-a a chamá-lo para uma conversa. Atualmente, ele faz terapia para abandonar o vício.

> ### CENA DE SONHO
>
> Vai que é sua!
>
> Este veio do diário de Amanda: "Eu havia desenvolvido uma paixonite (algo raro para mim) por um vizinho, um jovem muito atraente

mas terrivelmente tímido, com cabelo escuro, cacheado, e a boca mais maravilhosa que já vi. No supermercado do bairro, costumo vê-lo e conversar com ele, mas raramente demonstra qualquer sinal de interesse por mim, exceto por uma risadinha acanhada que me tira do sério. Essa paixonite virou obsessão quando ele começou a aparecer regularmente em meus sonhos. Certa noite, quando nos esbarramos num bar, ele acidentalmente roçou meu antebraço com as costas da mão. Acredito que esse contato fortuito me trouxe uma energia tão intensa que tive o seguinte sonho aquela noite:

"Tudo começa com o cabelo dele. É denso, pesado e escuro, como calda de chocolate. Afundo as duas mãos nele, até o punho, enquanto contemplo seus olhos, escuros como jabuticabas. Sua pele é pálida e lisa como uma hóstia; mal consigo tocá-la. Os traços de seu rosto me deixam petrificada — tenho de explorar cada ângulo, cada curva. Tudo parece lento e quente e intenso à medida que meu dedo indicador percorre a extensão de uma fina e negra sobrancelha até uma leve marca de expressão no canto de seu olho.

"Estou perto dele agora, percorrendo de leve a ponta do nariz até aqueles lábios cheios, rosados, que tenho contemplado fixamente durante tantas conversas. Ele respira pesado, os olhos fixos em mim, ainda um pouco surpreso, enquanto roço o polegar em seu trêmulo lábio inferior. Sua língua quente envolve meu dedo, enquanto meu mindinho percorre sua fileira inferior de dentes e, em seguida, a linha de sua mandíbula. Percorro, então, a dura e forte clavícula. Ainda não o beijei, mas, quando ponho a palma da mão em seu rosto, começamos a pegar mais pesado. Sua língua lambe sofregamente a minha, em vigorosas e profundas carícias. O calor é insuportável. Ele corre as mãos fortes e potentes por todo o meu corpo até parar na cintura, cingindo-a como um espartilho, os polegares unidos e os outros dedos sobre a espinha. Então ele me puxa em sua direção e murmura aquelas que seriam suas únicas palavras em toda a noite: 'Mais perto'.

"Estou no chão, com o rosto virado para baixo. Posso sentir nos mamilos a frieza do piso da cozinha. Ouço-o caminhando em volta de mim, silenciosamente passando do lado direito do meu corpo para o esquerdo. 'O que você está fazendo?', pergunto, enquanto tento erguer a cabeça, mas ele, com delicadeza, abaixa minha cabeça de novo. Delicadamente acaricia meu cabelo por um instante, mas o solta em seguida. É então que sinto aquilo, quente e denso em minhas costas. Olho para cima e vejo o que ele tem nas mãos: uma tigela de massa de bolo fresca com uma concha. Como um confeiteiro, aplica a cremosa substância nas minhas costas, em movimentos de ziguezague. Fios de calor escorrem por minhas costelas e vão cair no chão. Poças quentes se formam em volta de meus mamilos e na região lombar. A sensação é incrível. Gemo e arqueio as costas. Massageio meus mamilos úmidos até ficarem duros e rosados, então enfio três dedos na massa quente e ponho-a na boca. Enquanto isso, ele espalha o creme nas minhas costas.

"Grito quando ele agarra um punhado de cabelo e puxa-me a cabeça na sua direção. Minhas pernas foram abertas por ele, mas continuo de rosto para baixo. Posso senti-lo esfregando minhas costas, enquanto gemo e arqueio, chupando os dedos e lambendo gotas de massa caídas no chão. Nesse momento, ele me inclina para trás e enfia-me o pênis na boca. É liso e tem sabor de baunilha; quando ele goza, sinto-me estranhamente reconfortada, como se tivesse acabado de tomar uma caneca de chocolate borbulhante numa manhã fria em um chalé no campo. Foi um sonho delicioso."

Depois de um sonho tão vívido (e deleitante), Amanda decidiu tentar transformar aquilo em realidade. Assumiu o compromisso de subir as escadas para conversar com o vizinho mais freqüentemente e logo descobriu que sua paixão era correspondida.

"No fundo, sou um sonhador prático... Na medida do possível, quero converter meus sonhos em realidade."
Mahatma Gandhi

CENA DE SONHO

Como veio ao mundo

Diretamente do diário de Samanta: "Recentemente sonhei que meu namorado, Tadeu, e eu estávamos planejando algum tipo de aventura, talvez um acampamento, e estávamos indo a um lugar remoto. Acabamos de terminar os preparativos e fomos para a cama. Estamos numa espécie de chalé, e a cama fica na varanda. A varanda é cercada de água por todos os lados, praticamente no mesmo nível do assoalho. Ainda há luz do sol, mas por alguma razão já é hora de dormir. No peito de Tadeu, uma camada densa e engraçada de protetor solar forma uma listra horizontal de um lado a outro. Comento o fato, mas ele não dá importância.

"Há pessoas brincando na água, um senhor e uma jovem. Imploro a meu namorado para irmos nadar, já prevendo que ele não vai querer (na vida real, ele nunca quer). Para minha surpresa, ele não apenas topa, como tira toda a roupa antes de se atirar na água. Normalmente, não sou nem um pouco envergonhada, mas, no sonho, fico muito sem-graça de tirar a roupa na frente de estranhos, embora deseje desesperadamente fazer brincadeiras sexuais com Tadeu na água. Ele me espera pular e, enquanto hesito, aproxima-se das outras pessoas. Ao perceber que ele se interessa por elas, tiro toda a roupa e nado até ele. Quando chego perto, fica evidente que começa a acontecer algo entre nós quatro — a idéia realmente me excita — e então acordo".

Depois de um sonho tão desconcertante, em que os papéis foram trocados – Tadeu era o aventureiro em vez de Samanta – ela percebeu que precisava, às vezes, ver as coisas do ponto de vista do namorado, que, no fundo, não diferia tanto do dela quanto originalmente pensava. Começou, também, a diversificar suas companhias e conhecer outras pessoas para ajudá-la a sentir-se parte de algo mais amplo do que somente eles dois. Em última instância, ouvir o que o subconsciente estava tentando lhe dizer aliviou a tensão em seu relacionamento.

CENA DE SONHO

Ginástica instantânea

Excerto do diário de Cíntia: "Estou na casa do vizinho tomando um café, quando vejo um jovem caminhando na direção da minha campainha. Vou até a porta e ele me pergunta se sei onde fica a academia mais próxima. Digo que não sei, mas que posso procurar no guia. Depois disso, só me lembro de estar numa sala, acho que dentro de uma academia, com esse garoto em cima de mim. Ele deve ser pelo menos vinte anos mais jovem que eu, o peito e a barriga com a pele bem firme. Corro minhas mãos por suas laterais e abaixo sua calça. Passo a noite toda na academia transando com esse desconhecido. Não consigo recordar todos os detalhes da experiência, só sei que acordei com uma arrebatadora sensação de ter sido amada".

Cíntia se surpreendeu com esse sonho tão estimulante, do ponto de vista emocional e sexual, envolvendo um homem muito mais jovem e desconhecido. Desde o divórcio, oito meses antes, ela andava se sentindo rejeitada e pouco atraente. Basta dizer que passou o aniversário de 46 anos sozinha, agarrada a um pote de sorvete. Apesar disso, o sonho despertou-lhe o desejo sexual que temia haver perdido. No dia seguinte, sentia-se mais leve, jovem e bonita. Achava que, na verdade, talvez pudesse ter um homem como aquele. Aquele dia, com o ego massageado, Cíntia teve autoconfiança o suficiente para chamar Anderson, um homem atraente de sua aula de ioga, para sair. Os dois saíram juntos algumas vezes e, embora aquela relação não tenha dado em nada, sua coragem de convidá-lo "abriu a porteira" e a tornou mais aberta e receptiva para novos relacionamentos.

CENA DE SONHO

Fogo e gelo

Um sonho de Ricardo: "Ela está no banheiro com a porta levemente entreaberta, de pé na frente da pia, passando algum tipo de creme. Fico ao lado dela e depois atrás dela e com o nariz roço seu pescoço, sentindo o aroma de seu cabelo. Quando minha mão desliza por seu ventre, desenhando pequenos círculos, sinto suas costas se arquearem involuntariamente contra mim. 'Meu Deus, senti tanto sua falta hoje', sussurro, e ela responde com um gemido baixo, arrebitando o bumbum contra meu membro, que agora pulsa de tesão. 'Também senti falta de você', ela diz. 'Olha só!', e leva minha mão ao ventre, deslizando-a em seguida entre as pernas, onde posso sentir a umidade. Enquanto faz isso, alcança meu pênis com a mão que havia usado para passar creme e acaricia-o de maneira lenta e firme. A sensação é tão intensa que quase perco o equilíbrio; em vez disso, porém, empurro-a para a frente de modo que se incline levemente sobre a pia. Ela gosta do jeito que a toco e, pelo espelho, posso ver o prazer em seu rosto. Ela abre e fecha os olhos, com os lábios entreabertos, gemendo, e a mão se movendo cada vez com mais rapidez e vigor.

"Após alguns minutos, estou tão excitado que sinto como se fosse gozar naquele momento, o que ela adivinha por minha respiração irregular. Mas, então, ela tira a mão, pega um cubo de gelo num copo sobre a pia e passa-o em volta do meu pênis. Levo um choque, mas funciona: consigo continuar transando, passando meus dedos por sua vagina molhada, enquanto lhe esfrego o gelo no pescoço, segurando-o entre os dentes, e lhe apalpo o peito esquerdo com minha outra mão. Ela, por sua vez, inclina-se para trás e vira a cabeça, abrindo a boca para me beijar, de maneira que posso ver sua língua e seus lábios sobre os meus. Consigo penetrá-la facilmente, mesmo estando atrás dela. E ela adora quando faço isso. Depois de mais alguns movimentos como esse, ela diz: 'Mais, por favor, oh *baby, baby, baby*...' e, antes que termine a frase, estou dentro dela novamente. Mas dessa vez vou até o fim. Nós dois explodimos, eu dentro dela e ela em volta de mim, gemendo num clímax enlouquecedor. Em um minuto posso ver e sentir meu gozo pingando dela; havia tanto daquilo dentro de mim, esperando apenas por ela..."

Logo depois de ter esse sonho, Ricardo teve uma conversa séria com a namorada, que estava louca para ter um bebê. Antes, ele não se achava pronto para tamanha responsabilidade, mas certas indicações do sonho erótico (a repetição da palavra *baby* e o mar de esperma que finalizou a cena) apontavam para seu profundo desejo de ser pai. Após muito debate e considerações, Ricardo e a namorada deram um passo adiante em seu projeto de constituir uma família.

Sabedoria despertada

Informações chocantes podem ser transmitidas com facilidade nos sonhos, sejam eles eróticos ou não. Você pode se flagrar sonhando com situações ou eventos traumáticos, ou com pessoas que já não fazem parte da sua vida. Essas descrições gráficas de pessoas, lugares e coisas que parecem completamente fora de propósito podem, na verdade, ser um chacoalhão dado intencionalmente por sua alma. Se estiver disposto a se abrir para essas imagens e pôr em prática suas mensagens, acabará progredindo rumo a outra fase da vida, uma fase marcada pela melhor compreensão de seu verdadeiro eu. Nos roteiros eróticos, certos sinais podem representar um catalisador para o crescimento. Quando aprendemos a ver e compreender tais sinais, eles podem até mudar nossa vida. Contudo, reconhecê-los e, depois, tomar medidas para torná-los reais requer coragem; nesse momento você está, portanto, embarcando numa importante viagem, a viagem da sua alma.

Apêndice: Sonhos na tela

Além de nos fascinar, filmes e programas de TV sobre sonhos nos permitem vislumbrar coisas que sonhamos, mas, às vezes, esquecemos. Cada título listado abaixo oferece um novo *insight* ou uma nova perspectiva sobre a natureza dos sonhos.

Alice no país das maravilhas
Alucinações do passado
Amor além da vida
Arizona nunca mais
Artistas e modelos
Asas do desejo
Até o fim do mundo
Atração mortal
O beijo da mulher-aranha
A bela da tarde
As belas da noite
Beleza americana
Blade runner: o caçador de andróides
Brazil, o filme

Buffy, a caça-vampiros (série de TV)
Campo dos sonhos
A companhia dos lobos
Conto de Natal
Dançando no escuro
David and Lisa
Dead man
Delírios
O discreto charme da burguesia
Don Juan de Marco
Os doze macacos
Duna
A dupla vida de Verônica
E aí, meu irmão, cadê você?
O enigma das cartas
Os esquecidos
A estrada perdida
Fanny e Alexander
Feitiço do tempo
O gabinete do Dr. Caligari
Os garotos perdidos
Hábito negro
A história sem fim
A hora do pesadelo
James e o pêssego gigante
O jardim secreto
Lua negra
O mágico de Oz
Magnólia
A maldição da serpente
A maldição dos mortos-vivos
Marcas de uma paixão

APÊNDICE: SONHOS NA TELA

A morte nos sonhos
Na calada da noite
Navigator: uma odisséia no tempo
Oklahoma!
Onde sonham as formigas verdes
Paixões paralelas
Papai pernilongo
Um peixe fora d'água
Procurando Nemo
Projeto Brainstorm
Quando fala o coração
Um romance muito perigoso
Solaris
Sonâmbulos (série de TV)
Um sonho americano
Sonho fatal
O tigre e o dragão
Três casos de assassinato
Três mulheres
Trilogia macabra
Twin Peaks (série de TV)
Twin Peaks: os últimos dias de Laura Palmer
Viagens alucinantes
Vida cigana
Vivendo no abandono
Waking life

Bibliografia

DELANEY, Gayle M. V. *O livro de ouro dos sonhos*. Rio de Janeiro: Ediouro, 2000.

_____. *Sonhos eróticos*. Rio de Janeiro: Best Seller, s/d.

FREUD, Sigmund. *A interpretação dos sonhos*. Rio de Janeiro: Imago, 2001.

KOCH-SHERAS, Phyllis R.; LEMLY, Amy. *The dream sourcebook*: a guide to the theory and interpretation of dreams. Chicago: Contemporary Books, 1995.

KRIPPNER, Stanley; WALDMAN, Mark Robert (Orgs.). *Decifrando a linguagem dos sonhos*. São Paulo: Cultrix, 1994.

LOHFF, David C. *The dream directory*. Philadelphia: Courage Books, 1998.

MAZZA, Joan. *Dreaming your real self*: a personal approach to dream interpretation. New York: The Berkeley Publishing Group, 1998.

MONROE, Robert A. *Viagens fora do corpo*. São Paulo: Nova Era, s/d.

MOSS, Robert. *Conscious dreaming*: a spiritual path for everyday life. New York: Crown, 1996.

PARKER, Derek; PARKER, Julia. *O livro ilustrado dos sonhos*. São Paulo: Publifolha, 1997.

PEIRCE, Penney. *Dreams for dummies*. Foster City, California: IDG Books Worldwide, 2001.

RICHARDSON, Cheryl. *Stand up for your life*. New York: The Free Press, 2002.

SIEGEL, Alan B. *Dreams that can change your life*. Los Angeles: Jeremy P. Tarcher, Inc., 1990.

Este livro foi impresso pela
Prol Gráfica em papel *offset* 75g.